O MITO DE SÍSIFO

ALBERT CAMUS
O MITO DE SÍSIFO

tradução de
ARI ROITMAN
PAULINA WATCH

32ª edição

EDITORA RECORD
RIO DE JANEIRO • SÃO PAULO
2024

EDITORA EXECUTIVA
Renata Pettengill

SUBGERENTE EDITORIAL
Mariana Ferreira

ASSISTENTE EDITORIAL
Pedro de Lima

AUXILIAR EDITORIAL
Juliana Brandt

PROJETO GRÁFICO DE BOXE E CAPAS
Leonardo Iaccarino

DIAGRAMAÇÃO
Beatriz Carvalho

TÍTULO ORIGINAL
Le mythe de Sisyphe

IMAGEM DE CAPA
Roc Canals / Getty Images

CIP-BRASIL. CATALOGAÇÃO NA PUBLICAÇÃO
SINDICATO NACIONAL DOS EDITORES DE LIVROS, RJ

C218m
32ª ed.

Camus, Albert, 1913-1960
  O mito de Sisifo / Albert Camus; tradução de Ari Roitman, Paulina Watch. – 32ª ed. – Rio de Janeiro: Record, 2024.

  Tradução de: Le mythe de Sisyphe
  ISBN 978-65-55-87124-1

  1. Ensaios argelinos (França). I. Roitman, Ari. II. Watch, Paulina. III. Título.

20-65700

CDD: 844
CDU: 82-4(44)

Meri Gleice Rodrigues de Souza – Bibliotecária – CRB-7/6439

Copyright © Editions Gallimard, Paris, 1942

Nova edição aumentada a partir de um estudo sobre Franz Kafka

Todos os direitos reservados. Proibida a reprodução, no todo ou em parte, através de quaisquer meios. Os direitos morais do autor foram assegurados.

Direitos exclusivos de publicação em língua portuguesa somente para o Brasil adquiridos pela
EDITORA RECORD LTDA.
Rua Argentina, 171 – Rio de Janeiro, RJ – 20921-380 – Tel.: (21) 2585-2000, que se reserva a propriedade literária desta tradução.

Impresso no Brasil

ISBN 978-65-55-87124-1

Seja um leitor preferencial Record.
Cadastre-se no site www.record.com.br e
receba informações sobre nossos lançamentos
e nossas promoções.

Atendimento e venda direta ao leitor:
sac@record.com.br

INTRODUÇÃO à edição original

"Fui colocado no meio do caminho entre a miséria e o sol", escreve Albert Camus em *O avesso e o direito*. O escritor nasceu numa propriedade vinícola perto de Mondovi, no departamento de Constantine, na Argélia. Seu pai foi ferido mortalmente na Batalha do Marne, em 1914. Uma infância miserável em Argel, um professor primário, M. Germain, e depois um do segundo grau, Jean Grenier, que sabem reconhecer seus dons, a tuberculose, que se declara precocemente e que, com o sentimento trágico que ele chama de absurdo, infunde nele um desejo desesperado de viver, estes são os dados que vão forjar sua personalidade. Escreve, torna-se jornalista, cria companhias teatrais e uma casa da cultura, faz política. Suas campanhas no *Alger Républicain* para denunciar a miséria dos muçulmanos obrigam-no a deixar a Argélia, onde não consegue mais trabalho. Durante a Segunda Guerra, na França, torna-se um dos colaboradores do jornal clandestino *Combat*. Depois da

Libertação, *Combat*, do qual ele é redator-chefe, torna-se uma publicação periódica que, por seu tom e sua exigência, deixa marca na história da imprensa.

Mas é o escritor que, desde então, se impõe como um dos líderes de sua geração. Em Argel ele publicara *Bodas* e *O avesso e o direito*. Vinculado erroneamente ao movimento existencialista, que atingiu seu apogeu no pós-guerra, Albert Camus na verdade escreveu uma obra articulada em torno do absurdo e da revolta. Talvez tenha sido Faulkner quem melhor resumiu seu sentido geral: "Camus dizia que o único papel verdadeiro do homem, nascido num mundo absurdo, é ter consciência da sua vida, da sua revolta, da sua liberdade." E o próprio Camus explicou como concebeu o conjunto de sua obra: "Primeiramente eu queria expressar a negação. Sob três formas. Romanesca: com *O estrangeiro*. Dramática: *Calígula, O mal-entendido*. Ideológica: *O mito de Sísifo*. Previa também o positivo sob três outras formas. Romanesca: *A peste*. Dramática: *O estado de sítio* e *Os justos*. Ideológica: *O homem revoltado*. Já entrevia uma terceira camada, sobre o tema do amor."

A peste, assim, começando em Orã, cidade que servirá de cenário para o romance, simboliza o mal, um pouco como *Moby Dick*, cujo mito perturba Camus. Contra a peste, os homens vão adotar diversas atitudes e mostrar que o ser humano não é totalmente impotente diante da sorte que lhe é imposta. Esse romance da separação, da desdita e da esperança, lembrando de maneira simbólica aos homens de seu tempo o que eles acabavam de viver, teve um imenso sucesso.

O homem revoltado, em 1951, diz a mesma coisa. "Eu quis falar a verdade sem deixar de ser generoso", escreve Camus, que também diz sobre esse ensaio, que lhe granjeou muitas inimizades e o afastou particularmente dos surrealistas e de Sartre: "No dia em que o crime se enfeitar com os despojos da inocência, por uma curiosa reviravolta própria do nosso tempo, a inocência é que será intimada a fornecer suas justificativas. A ambição deste ensaio seria aceitar e examinar esse estranho desafio."

Cinco anos mais tarde, *A queda* parece um fruto amargo do tempo das desilusões, do afastamento, da solidão. *A queda* já não trata do processo do mundo absurdo em que os homens morrem e não são felizes. Dessa vez, a natureza humana é a culpada. "Onde começa a confissão, onde a acusação?", escreve o próprio Camus nesse relato único em sua obra. "Uma única verdade, seja como for, nesse jogo de espelhos estudado: a dor e o que ela promete."

Um ano depois, em 1957, Camus recebe o Prêmio Nobel por seus livros e também, sem dúvida, pelo combate que nunca deixou de travar contra tudo o que quer esmagar o homem. Esperava-se um novo desenvolvimento de sua obra quando, no dia 4 de janeiro de 1960, Camus encontrou a morte num acidente de automóvel.

Para Pascal Pia

UM RACIOCÍNIO ABSURDO

Oh, minh'alma,
não aspira à vida imortal,
mas esgota o campo do possível.

Píndaro, 3º Pítico

As páginas que se seguem tratam de uma sensibilidade absurda que podemos encontrar esparsa no século — e não de uma filosofia absurda que o nosso tempo, para dizer com propriedade, não conheceu. É então de uma honestidade elementar enfatizar, logo de início, o que elas devem a certos espíritos contemporâneos. Minha intenção não é nem de longe ocultar este fato, tanto que eles serão citados e comentados ao longo de toda a obra.

Mas vale a pena notar, ao mesmo tempo, que o absurdo, encarado até aqui como conclusão, é considerado neste ensaio como um ponto de partida. Neste sentido, pode-se dizer que meu comentário tem muito de provisório: não é possível prejulgar a posição que ele assume. Só se encontrará aqui a descrição, em estado puro, de um mal do espírito. Por ora, nenhuma metafísica, nenhuma crença está presente aqui. Estes são os limites e a única escolha assumida por este livro.

O absurdo e o suicídio

1

Só existe um problema filosófico realmente sério: o suicídio. Julgar se a vida vale ou não vale a pena ser vivida é responder à pergunta fundamental da filosofia. O resto, se o mundo tem três dimensões, se o espírito tem nove ou doze categorias, vem depois. Trata-se de jogos; é preciso primeiro responder. E se é verdade, como quer Nietzsche, que um filósofo, para ser estimado, deve pregar com o seu exemplo, percebe-se a importância dessa resposta, porque ela vai anteceder o gesto definitivo. São evidências sensíveis ao coração, mas é preciso ir mais fundo até torná-las claras para o espírito.

Se eu me pergunto por que julgo que tal questão é mais premente que tal outra, respondo que é pelas ações a que ela se compromete. Nunca vi ninguém morrer por causa do argumento ontológico. Galileu, que sustentava uma verdade científica importante, abjurou dela com a maior tranquilidade assim que viu sua vida em perigo.

Em certo sentido, fez bem. Essa verdade não valia o risco da fogueira. É profundamente indiferente saber qual dos dois, a Terra ou o Sol, gira em torno do outro. Em suma, é uma futilidade. Mas vejo, em contrapartida, que muitas pessoas morrem porque consideram que a vida não vale a pena ser vivida. Vejo outros que, paradoxalmente, deixam-se matar pelas ideias ou ilusões que lhes dão uma razão de viver (o que se denomina razão de viver é ao mesmo tempo uma excelente razão de morrer). Julgo, então, que o sentido da vida é a mais premente das perguntas. Como responder a ela? Em todos os problemas essenciais, e entendo por isto aqueles que oferecem perigo de morte ou multiplicam a paixão de viver, só há dois métodos de pensamento, o de La Palice* e o de Dom Quixote. Só o equilíbrio entre a evidência e o lirismo nos permite aceder ao mesmo tempo à emoção e à clareza. Num assunto ao mesmo tempo tão humilde e tão cheio de pateticismo, a sábia e clássica dialética tem que dar lugar, penso, a uma atitude

---

* La Palice, senhor de (Jacques de Chabannes (1470-1525), caracterizava-se por repetir o óbvio. Seu nome tornou-se marca de obviedade, tal como, entre nós, o Conselheiro Acácio de Eça de Queirós. (*N. do T.*)

de espírito mais modesta que proceda ao mesmo tempo do bom senso e da simpatia.

Sempre se tratou o suicídio apenas como um fenômeno social. Aqui, pelo contrário, trata-se, para começar, da relação entre o pensamento individual e o suicídio. Um gesto desses se prepara no silêncio do coração, da mesma maneira que uma grande obra. O próprio homem o ignora. Uma noite, ele dá um tiro em si mesmo ou se joga pela janela. Diziam-me um dia, a respeito de um gerente de imóveis que havia se matado, que cinco anos antes ele perdera sua filha, que desde então tinha mudado muito e que essa história "o deixara atormentado". Não se poderia desejar palavra mais exata. Começar a pensar é começar a ser atormentado. A sociedade não tem muito a ver com esses começos. O verme se encontra no coração do homem. Lá é que se deve procurá-lo. Esse jogo mortal que vai da lucidez diante da existência à evasão para fora da luz deve ser acompanhado e compreendido.

Há muitas causas para um suicídio, e nem sempre as causas mais aparentes foram as mais eficazes. Raramente alguém se suicida por reflexão (hipótese, no entanto, não descartada). O que desencadeia a crise é quase sempre incontrolável. Os jornais falam com frequência de "aflições íntimas" ou de "doença incurável". Estas explicações são válidas. Mas teríamos que saber se no mesmo dia um amigo do desesperado não o tratou de modo indiferente. Ele é que é o culpado. Pois isto pode ser suficiente para precipitar todos os rancores e todas as prostrações ainda em suspensão.*

Mas se é difícil fixar o instante preciso, o percurso sutil em que o espírito apostou na morte, é mais simples extrair do gesto em si as consequências que ele supõe. Matar-se, em certo sentido, e como no melodrama, é confessar. Confessar que fomos superados pela vida ou que não a entendemos. Mas não prossigamos nestas analogias e voltemos às palavras correntes. Trata-se apenas de confessar que isso "não vale a pena". Viver, naturalmente, nunca é fácil. Continuamos fazendo os gestos que a existência impõe por muitos motivos, o primeiro dos quais é o costume. Morrer por vontade própria supõe que se reconheceu, mesmo instintivamente, o caráter ridículo desse costume, a ausência de qualquer motivo profundo

---

* Não percamos a oportunidade de sublinhar o caráter deste ensaio. Na verdade, o suicídio pode estar ligado a considerações muito mais honrosas. Por exemplo: os suicídios políticos, chamados de protesto, na revolução chinesa (*N. do A.*, e também todas as notas seguintes).

para viver, o caráter insensato da agitação cotidiana e a inutilidade do sofrimento.

Qual é então o sentimento incalculável que priva o espírito do sono necessário para a vida? Um mundo que se pode explicar, mesmo com raciocínios errôneos, é um mundo familiar. Mas num universo repentinamente privado de ilusões e de luzes, pelo contrário, o homem se sente um estrangeiro. É um exílio sem solução, porque está privado das lembranças de uma pátria perdida ou da esperança de uma terra prometida. Esse divórcio entre o homem e sua vida, o ator e seu cenário é propriamente o sentimento do absurdo. E como todos os homens sadios já pensaram no seu próprio suicídio, pode-se reconhecer, sem maiores explicações, que há um laço direto entre tal sentimento e a aspiração ao nada.

O tema deste ensaio é justamente essa relação entre o absurdo e o suicídio, a medida exata em que o suicídio é uma solução para o absurdo. Pode-se postular a princípio que as ações de um homem que não trapaceia devem ser reguladas por aquilo que ele considera verdadeiro. A crença no absurdo da existência deve então comandar sua conduta. É uma curiosidade legítima perguntar, com clareza e sem falso pateticismo, se uma conclusão desta ordem exige que se abandone de imediato uma condição incompreensível. Falo aqui, evidentemente, dos homens dispostos a estar de acordo consigo mesmos.

Exposto em termos claros, este problema pode parecer ao mesmo tempo simples e insolúvel. Mas supõe-se erroneamente que perguntas simples levam a respostas não menos simples e que a evidência implica a evidência. *A priori*, e invertendo os termos do problema, parece que ou você se mata ou não se mata, só há duas soluções filosóficas, a do sim e a do não. Seria fácil demais. Mas temos que pensar naqueles que não param de interrogar, sem chegar a nenhuma conclusão. E não estou ironizando: trata-se da maioria. Vejo também que aqueles que respondem que *não*, agem como se pensassem *sim*. Na verdade, se aceitarmos o critério nietzschiano, eles pensam *sim* de uma maneira ou de outra. Aqueles que se suicidam, pelo contrário, costumam ter certeza do sentido da vida. Tais contradições são constantes. Pode-se mesmo dizer que nunca foram tão vivas como neste ponto em que a lógica, ao contrário, parece tão desejável. É lugar-comum comparar as teorias filosóficas com o comportamento daqueles que as professam. Mas é preciso dizer que entre os pensadores que negaram um sentido à vida, nenhum, exceto Kirilov, que pertence à literatura, Peregrinos, que nasce da lenda,* e Jules Lequier, do domínio da hipótese, levou sua lógica ao ponto de rejeitar esta vida. Em tom de troça, muitas vezes se cita Schopenhauer, que fazia o elogio do suicídio diante de uma mesa bem servida. Mas não vejo nisto motivo para brincadeira. Esta maneira de não levar o trágico muito a sério não é tão grave assim, mas ela acaba condenando o seu homem.

Diante destas contradições e destas obscuridades, será então preciso acreditar que não há relação alguma entre a opinião que se tem sobre a vida e o gesto que se faz para abandoná-la? Não exageramos nada neste sentido. No apego de um homem à sua vida há algo mais forte que todas as misérias do mundo. O juízo do corpo tem o mesmo valor que o do espírito, e o corpo recua diante do aniquilamento. Cultivamos o hábito de viver antes de adquirir o de pensar. Nesta corrida que todo dia nos precipita um pouco mais em direção à morte, o corpo mantém uma dianteira irrecuperável. Enfim, o

---

* Ouvi falar de um êmulo de Peregrinos, escritor do pós-guerra, que, depois de haver terminado seu primeiro livro, suicidou-se para chamar a atenção para a obra. A atenção, de fato, foi chamada, mas o livro foi considerado ruim.

essencial desta contradição reside no que vou chamar de esquiva, porque ela é ao mesmo tempo menos e mais que a distração no sentido pascaliano. A esquiva mortal que constitui o terceiro tema deste ensaio é a esperança. Esperança de uma outra vida que é preciso "merecer", ou truque daqueles que vivem não pela vida em si, mas por alguma grande ideia que a ultrapassa, sublima, lhe dá um sentido e a trai.

Tudo contribui, assim, para embaralhar as cartas. Não foi à toa que até aqui jogamos com as palavras, fingindo acreditar que negar um sentido à vida leva obrigatoriamente a declarar que ela não vale a pena ser vivida. Na verdade, não há nenhuma medida obrigatória entre estes dois juízos. É preciso apenas não se extraviar entre as confusões, divórcios e inconsequências apontadas até aqui. É preciso descartar tudo e ir direto ao verdadeiro problema. As pessoas se matam porque a vida não vale a pena ser vivida, eis uma verdade incontestável — infecunda, entretanto, porque é um truísmo. Mas será que esse insulto à existência, esse questionamento em que a mergulhamos, provém do fato de ela não ter sentido? Será que seu absurdo exige que escapemos dela, pela esperança ou pelo suicídio? Eis o que será preciso esclarecer, perseguir e ilustrar, descartando todo o resto. O absurdo comanda a morte, temos que dar prioridade a este problema sobre os outros, independentemente de todos os métodos de pensamento e brincadeiras do espírito desinteressado. As nuanças, as contradições, a psicologia que um espírito "objetivo" sempre sabe introduzir em todos os problemas não têm lugar nessa busca e nessa paixão. O que faz falta aqui é um pensamento injusto, quer dizer, lógico. Isto não é fácil. É sempre cômodo ser lógico. É quase impossível ser lógico a fundo. Os homens que morrem pelas próprias mãos seguem até o fim a inclinação do seu sentimento. A reflexão sobre o suicídio me dá então a oportunidade de enunciar o único problema que me interessa: há uma lógica que chegue até a morte? Só posso sabê-lo perseguindo, sem paixão desordenada, com a única luz da evidência, o raciocínio cuja origem indico aqui. É o que chamo de um raciocínio absurdo. Muitos já o começaram. Não sei se o mantiveram.

Quando Karl Jaspers, revelando a impossibilidade de constituir o mundo em unidade, exclama: "Esta limitação me conduz a mim mesmo, onde não me escondo atrás de um ponto de vista objetivo que eu só represento, onde nem eu mesmo, nem a existência do outro, podem mais se tornar objeto para mim", ele está evocando, após muitos outros, aqueles lugares desertos e sem água onde o pensamento chega aos seus limites. Após muitos outros, sim, sem dúvida, mas todos com grande pressa para fugir dali! Muitos homens, entre os quais os mais humildes, chegaram a esta última curva em que o pensamento vacila. Abdicaram então do que tinham de mais valioso, que era a sua vida. Outros, príncipes do espírito, também abdicaram, mas foi com o suicídio do seu pensamento, na sua revolta mais pura. O verdadeiro esforço, pelo contrário, é se sustentar ali na medida do possível e examinar de perto a vegetação barroca de suas regiões afastadas. A tenacidade e a clarividência são espectadores privilegiados desse jogo desumano em que o absurdo, a esperança e a morte trocam suas réplicas. O espírito pode então analisar as figuras desta dança ao mesmo tempo elementar e sutil, antes de ilustrá-las e revivê-las ele mesmo.

Os muros absurdos

2

Como as grandes obras, os sentimentos profundos significam sempre mais do que têm consciência de dizer. A constância de um movimento ou de uma repulsa numa alma é encontrada em hábitos de fazer ou de pensar e prossegue em consequências que a própria alma ignora. Os grandes sentimentos levam consigo o seu universo, esplêndido ou miserável. Iluminam com sua paixão um mundo exclusivo, onde eles encontram seu ambiente. Há um universo do ciúme, da ambição, do egoísmo ou da generosidade. Um universo significa uma metafísica e uma atitude de espírito. O que é verdade para sentimentos já especializados, será ainda mais para emoções cuja base é tão indeterminada, ao mesmo tempo tão confusas e tão "certas", tão distantes e tão "presentes" quanto aquelas que a beleza nos oferece ou que o absurdo suscita.

Numa esquina qualquer, o sentimento do absurdo pode bater no rosto de um homem qualquer. Tal como é, em sua nudez desoladora, em sua luz sem brilho, esse sentimento é inapreensível. Mas esta própria dificuldade merece reflexão. Provavelmente seja verdade que um homem permanece eternamente desconhecido para nós e que nele há sempre algo de irredutível que nos escapa. Mas eu conheço *na prática* os homens e os reconheço em sua conduta, no conjunto de seus atos, nas consequências que sua passagem suscita na vida. Da mesma maneira, todos esses sentimentos irracionais sobre os quais a análise não sabe agir, posso defini-los *na prática*, apreciá-los *na prática*, reunindo a soma de suas consequências na ordem da inteligência, captando e registrando todos os seus rostos, redesenhando seus universos. É bem verdade que, aparentemente, se eu assistir cem vezes ao mesmo ator, não o conhecerei melhor pessoalmente. No entanto, se fizer a soma dos heróis que ele encarnou e disser que o conheço um pouco mais no centésimo personagem listado, haverá nisto uma parte de verdade. Pois este paradoxo aparente é também um apólogo. Tem uma moralidade. Ele ensina que um homem se define tanto por suas comédias quanto por seus impulsos sinceros. Trata-se, num tom mais abaixo, dos sentimentos, inacessíveis no interior do coração, mas parcialmente traídos pelos atos que impulsionam e as atitudes de espírito que supõem. Fica claro que assim defino um método. Mas também fica claro que esse método é de análise e não de conhecimento. Pois métodos implicam metafísicas, e elas traem, à sua revelia, as conclusões que às vezes pretendem não conhecer ainda. Assim, as últimas páginas de um livro já estão nas primeiras. Este nó é inevitável. O método aqui definido confessa a sensação de que todo conhecimento verdadeiro é impossível. Só se pode enumerar as aparências e apresentar o ambiente.

Esse inapreensível sentimento do absurdo, quem sabe então possamos atingi-lo nos mundos diferentes, porém irmanados, da inteligência, da arte de viver ou da arte pura e simples. O ambiente de absurdo está desde o começo. O final é o universo absurdo e a atitude de espírito que ilumina o mundo com uma luz que lhe é própria, para fazer resplandecer o rosto privilegiado e implacável que ela sabe reconhecer-lhe.

Todas as grandes ações e todos os grandes pensamentos têm um começo ridículo. Muitas vezes as grandes obras nascem na esquina de uma rua ou na porta giratória de um restaurante. Absurdo assim. O mundo absurdo, mais do que outro, obtém sua nobreza desse nascimento miserável. Em certas situações, responder "nada" a uma pergunta sobre a natureza de seus pensamentos pode ser uma finta de um homem. Os seres amados sabem bem disto. Mas se a resposta for sincera, se expressar aquele singular estado de alma em que o vazio se torna eloquente, em que se rompe a corrente dos gestos cotidianos, em que o coração procura em vão o elo que lhe falta, ela é então um primeiro sinal do absurdo.

Cenários desabarem é coisa que acontece. Acordar, bonde, quatro horas no escritório ou na fábrica, almoço, bonde, quatro horas de trabalho, jantar, sono e segunda terça quarta quinta sexta e sábado no mesmo ritmo, um percurso que transcorre sem problemas a maior parte do tempo. Um belo dia, surge o "por quê" e tudo começa a entrar numa lassidão tingida de assombro. "Começa", isto é o importante. A lassidão está ao final dos atos de uma vida maquinal, mas inaugura ao mesmo tempo um movimento da consciência. Ela o desperta e provoca sua continuação. A continuação é um retorno inconsciente aos grilhões, ou é o despertar definitivo. Depois do despertar vem, com o tempo, a consequência: suicídio ou restabelecimento. Em si, a lassidão tem algo de desalentador. Aqui devo concluir que ela é boa. Pois tudo começa pela consciência e nada vale sem ela. Estas observações nada têm de original. Mas são evidentes: isto basta por algum tempo, até fazermos um reconhecimento sumário das origens do absurdo. O simples "cuidado" está na origem de tudo.

Da mesma maneira, e em todos os dias de uma vida sem brilho, o tempo nos leva. Mas sempre chega uma hora em que temos de levá-lo. Vivemos no futuro: "amanhã", "mais tarde", "quando você conseguir uma posição", "com o tempo vai entender". Estas inconsequências são admiráveis, porque afinal trata-se de morrer. Chega o dia em que o homem constata ou diz que tem trinta anos. Afirma assim a sua juventude. Mas, no mesmo movimento, situa-se em relação ao tempo. Ocupa nele o seu lugar. Reconhece que está num certo momento de uma curva que, admite, precisa percorrer. Pertence ao tempo e reconhece seu pior inimigo nesse horror que o invade. O amanhã, ele ansiava o amanhã, quando tudo em si deveria rejeitá-lo. Essa revolta da carne é o absurdo.*

_____

* Mas não no sentido próprio. Não se trata de uma definição. Trata-se de uma *enumeração* dos sentimentos que podem conter absurdo. Mesmo acabada a enumeração, não esgotamos o absurdo.

Um grau mais abaixo e surge a estranheza: perceber que o mundo é "denso", entrever a que ponto uma pedra é estranha, irredutível para nós, com que intensidade a natureza, uma paisagem pode se negar a nós. No fundo de toda beleza jaz algo de desumano, e essas colinas, a doçura do céu, esses desenhos de árvores, eis que no mesmo instante perdem o sentido ilusório com que os revestimos, agora mais longínquos que um paraíso perdido. A hostilidade primitiva do mundo, através dos milênios, remonta até nós. Por um segundo não o entendemos mais, porque durante séculos só entendemos nele as figuras e desenhos que lhe fornecíamos previamente, porque agora já nos faltam forças para usar esse artifício. O mundo nos escapa porque volta a ser ele mesmo. Aqueles cenários disfarçados pelo hábito voltam a ser o que são. Afastam-se de nós. Assim como há dias em que, sob um rosto familiar, de repente vemos como uma estranha aquela mulher que amamos durante meses ou anos, talvez cheguemos mesmo a desejar aquilo que subitamente nos deixa tão sós. Mas ainda não é o momento. Uma coisa apenas: essa densidade e essa estranheza do mundo, isto é o absurdo.

Os homens também segregam desumanidade. Em certas horas de lucidez, o aspecto mecânico de seus gestos, sua pantomima desprovida de sentido torna estúpido tudo o que os rodeia. Um homem fala ao telefone atrás de uma divisória de vidro; não se ouve o que diz, mas vemos sua mímica sem sentido: perguntamo-nos por que ele vive. Esse mal-estar diante da desumanidade do próprio homem, essa incalculável queda diante da imagem daquilo que somos, essa "náusea", como diz um autor dos nossos dias, é também o absurdo. Tanto quanto o estranho que, em certos instantes, vem ao nosso encontro num espelho, o irmão familiar e no entanto inquietante que encontramos nas nossas próprias fotos também é o absurdo.

Chego por fim à morte e ao sentimento que ela nos provoca. Sobre este ponto já foi dito tudo e o mais decente é resguardar-se do patético. Mas é sempre surpreendente o fato de que todo mundo viva como se ninguém "soubesse". Isto se dá porque, na realidade, não há experiência da morte. Em sentido próprio, só é experimentado aquilo que foi vivido e levado à consciência. Aqui, pode-se no máximo falar da experiência da morte alheia. Esta é um sucedâneo, uma opinião, e nós nunca ficamos muito convencidos. Esta convenção melancólica não pode ser persuasiva. Na verdade, o horror vem do lado matemático do acontecimento. O tempo nos assusta porque ele traz a demonstração: a solução vem atrás. Todos os belos discursos sobre a alma fazem aqui, pelo menos por um tempo, uma prova dos nove do seu contrário. A alma desapareceu desse corpo inerte onde uma bofetada não marca mais. Este lado elementar e definitivo da aventura é o conteúdo do sentimento absurdo. Sob a iluminação mortal desse destino, aparece a inutilidade. Nenhuma moral, nenhum esforço são justificáveis *a priori* diante das matemáticas sangrentas que ordenam nossa condição.

Mais uma vez, tudo isto já foi dito e repetido. Limito-me a fazer aqui uma classificação rápida e indicar estes temas evidentes. Eles percorrem todas as literaturas e filosofias. As conversas do dia a dia se alimentam deles. Não se trata de reinventá-los. Mas é preciso certificar-se dessas evidências para poder indagar sobre a questão primordial. O que me interessa, repito, não são tanto as descobertas absurdas. São suas consequências. Se estamos certos destes fatos, o que será preciso concluir, até onde chegar para não eludir nada? Será preciso morrer voluntariamente, ou pode-se ter esperança apesar de tudo? Antes é necessário efetuar o mesmo levantamento rápido no plano da inteligência.

*

A primeira providência do espírito é distinguir o verdadeiro do falso. Mas quando o pensamento reflete sobre si mesmo, o que ele descobre antes de tudo é uma contradição. Inútil esforçar-se aqui para ser convincente. Ninguém demonstrou mais clara e elegantemente isto do que Aristóteles há séculos: "A consequência, muitas vezes ridicularizada, destas opiniões é que elas se destroem a si mesmas. Pois afirmando que tudo é verdade, afirmamos a verdade da afirmação oposta e em consequência a falsidade da nossa própria tese (pois a afirmação oposta não admite que ela possa ser verdadeira). E se dizemos que tudo é falso, esta afirmação também se revela falsa. Se declaramos que só é falsa a afirmação oposta à nossa ou então que só a nossa não é falsa, mesmo assim somos obrigados a admitir um número infinito de juízos verdadeiros ou falsos. Pois aquele que emite uma afirmação verdadeira, pronuncia ao mesmo tempo que ela é verdadeira, e assim por diante até o infinito."

Este círculo vicioso é apenas o primeiro de uma série em que o espírito que se debruça sobre si mesmo perde-se num rodopio vertiginoso. A própria simplicidade destes paradoxos os torna irredutíveis. Sejam quais forem os jogos de palavras e as acrobacias da lógica, compreender é antes de mais nada unificar. O desejo profundo do próprio espírito em suas operações mais evoluídas une-se ao sentimento inconsciente do homem diante do seu universo: é exigência de familiaridade, apetite de clareza. Compreender o mundo, para um homem, é reduzi-lo ao humano, marcá-lo com seu selo. O universo do gato não é o universo do tamanduá. O truísmo "Todo pensamento é antropomórfico" não tem outro sentido. E também o espírito que procura compreender a realidade não se pode dar por satisfeito sem reduzi-la em termos de pensamento. Se o homem reconhecesse que o universo também pode amar e sofrer, estaria reconciliado. Se o pensamento descobrisse nos espelhos giratórios dos fenômenos relações eternas que os pudessem resumir e resumir a si mesmas num princípio único, poderíamos falar de uma felicidade do espírito da qual o mito dos bem-aventurados seria uma ridícula falsificação. Essa nostalgia de unidade, esse apetite de absoluto ilustra o movimento essencial do drama humano. Que essa nostalgia seja um fato, porém, não implica que deva ser imediatamente apaziguada. Pois se, atravessando o abismo que separa o desejo da conquista, afirmarmos com Parmênides a realidade do Um (seja lá o que for), cairemos na ridícula contradição de um espírito que afirma a unidade total e com essa afirmação prova sua própria diferença e a diversidade que pretendia resolver. Este outro círculo vicioso basta para sufocar nossas esperanças.

Há outras evidências. Devo repetir que elas não são interessantes em si mesmas, mas pelas consequências que delas se podem extrair. Conheço outra evidência: ela me diz que o homem é mortal. Porém contam-se nos dedos os espíritos que extraíram disto as conclusões extremas. É preciso considerar como uma referência perpétua, neste ensaio, a defasagem constante entre o que imaginamos saber e o que realmente sabemos, a aceitação prática e a ignorância simulada que faz com que vivamos com ideias que, se as sentíssemos de verdade, deveriam transtornar toda a nossa vida. Diante dessa contradição inextricável do espírito, compreendemos totalmente o divórcio que nos separa de nossas próprias criações. Enquanto o espírito se cala no mundo imóvel de suas esperanças, tudo se reflete e se ordena na unidade de sua nostalgia. Mas em seu primeiro movimento, esse mundo se fissura e desmorona: uma infinidade de cintilações reverberantes se oferece ao conhecimento. É preciso desistir de reconstruir sua superfície familiar e tranquila que nos daria paz ao coração. Após tantos séculos de pesquisas, tantas abdicações entre os pensadores, sabemos que isto é verdade para todo o nosso conhecimento. Com exceção dos racionalistas profissionais, desistimos hoje do verdadeiro conhecimento. Se fosse preciso escrever a única história significativa do pensamento humano, deveria ser a de seus arrependimentos sucessivos e de suas impotências.

Efetivamente, sobre o quê e sobre quem posso dizer: "Eu conheço isto!"? Este coração que há em mim, posso senti-lo e julgo que ele existe. O mundo, posso tocá-lo e também julgo que ele existe. Aí se detém toda a minha ciência, o resto é construção. Pois quando tento captar este eu no qual me asseguro, quando tento defini-lo e resumi-lo, ele é apenas água que escorre entre meus dedos. Posso desenhar, um por um, todos os rostos que ele costuma assumir, todos também que lhe foram dados, esta educação, esta origem, este ardor ou estes silêncios, esta grandeza ou esta baixeza. Mas não se somam os rostos: este coração que é o meu permanecerá indefinível para sempre. O fosso entre a certeza que tenho da minha existência e o conteúdo que tento dar a esta segurança jamais será superado. Para sempre serei estranho a mim mesmo. Em psicologia, tanto quanto em lógica, há verdades, não uma verdade. O "conhece--te a ti mesmo" de Sócrates tem tanto valor quanto o "sê virtuoso" dos nossos confessionários. Revelam tanto uma nostalgia quanto uma ignorância. São jogos estéreis sobre grandes temas. Só são legítimos na medida exata em que são aproximativos.

Eis também umas árvores, e eu conheço suas rugosidades, a água, e experimento seu sabor. Esses aromas de ervas e de estrelas, a noite, certas noites em que o coração se distende, como poderia negar este mundo cuja potência e cujas forças experimento? Mas toda a ciência desta Terra não me dirá nada que me assegure que este mundo me pertence. Vocês o descrevem e me ensinam a classificá-lo. Vocês enumeram suas leis e, na minha sede de saber, aceito que elas são verdadeiras. Vocês desmontam seu mecanismo e minha esperança aumenta. Por fim, vocês me ensinam que este universo prestigioso e multicor se reduz ao átomo e que o próprio átomo se reduz ao elétron. Tudo isto é bom e espero que vocês continuem. Mas me falam de um sistema planetário invisível no qual os elétrons gravitam ao redor de um núcleo. Explicam-me este mundo com uma imagem. Então percebo que vocês chegaram à poesia: nunca poderei conhecer. Tenho tempo para me indignar? Vocês já mudaram de teoria. Assim, a ciência que deveria me ensinar tudo acaba em hipótese, a lucidez sombria culmina em metáfora, a incerteza se resolve em obra de arte. Que necessidade havia de tanto esforço? As linhas suaves das colinas e a mão da noite neste coração agitado me ensinam muito mais. Voltei ao meu começo. Entendo que posso apreender os fenômenos e enumerá-los por meio da ciência, mas nem por isso posso captar o mundo. Quando houver seguido todo o seu relevo com o dedo, não saberei muito mais sobre ele. E vocês querem que eu escolha entre uma descrição certa, mas que nada me ensina, e hipóteses que pretendem me ensinar, mas que não são certas. Estranho a mim mesmo e a este mundo, armado somente com um pensamento que se nega quando afirma, que condição é esta em que só posso ter paz deixando de saber e de viver, em que o apetite de conquista se choca contra os muros que desafiam seus assaltos? Querer é suscitar paradoxos. Tudo está arrumado para que nasça uma paz envenenada que a displicência, o sono do coração ou as renúncias mortais proporcionam.

A inteligência também me diz, à sua maneira particular, que este mundo é absurdo. Seu contrário, que é a razão cega, prefere pretender que tudo está claro; eu esperava provas e desejava que ela tivesse razão. Mas, apesar de tantos séculos pretensiosos e acima de tantos homens eloquentes e persuasivos, sei que isto é falso. Nesse plano, pelo menos, não há felicidade se eu não puder saber. Essa razão universal, prática ou moral, esse determinismo, essas categorias que explicam tudo fazem o homem honesto dar risada. Não têm nada a ver com o espírito. Negam sua verdade profunda, que é a de estar acorrentado. Nesse universo indecifrável e limitado, o destino do homem ganha doravante seu sentido. Uma multidão de irracionais se ergue para rodeá-lo até o fim. Em sua clarividência recuperada e agora ajustada, o sentimento do absurdo se esclarece e torna-se mais preciso. Eu dizia que o mundo é absurdo, mas ia muito depressa. Este mundo não é razoável em si mesmo, eis tudo o que se pode dizer. Porém o mais absurdo é o confronto entre o irracional e o desejo desvairado de clareza cujo apelo ressoa no mais profundo do homem. O absurdo depende tanto do homem quanto do mundo. Por ora, é o único laço entre os dois. Ele os adere um ao outro como só o ódio pode juntar os seres. É tudo o que posso divisar claramente neste universo sem medida onde minha aventura se desenrola. Paremos por aqui. Se considero verdadeiro esse absurdo que rege minhas relações com a vida, se me deixo penetrar pelo sentimento que me invade diante do espetáculo do mundo, pela clarividência que me impõe a busca de uma ciência, devo sacrificar tudo a tais certezas e encará-las de frente para poder mantê-las. Sobretudo, devo pautar nelas minha conduta e persegui-las em todas as suas consequências. Falo aqui de honestidade. Mas, antes, quero saber se o pensamento pode viver nesses desertos.

Já sei que o pensamento pelo menos entrou nesses desertos. Ele encontrou ali seu pão. Compreendeu que até então se nutria de fantasmas. Deu pretexto para alguns dos temas mais prementes da reflexão humana.

A partir do momento em que é reconhecido, o absurdo é uma paixão, a mais dilacerante de todas. Mas toda a questão é saber se podemos viver com nossas paixões, se podemos aceitar sua lei profunda, que é queimar o coração que elas ao mesmo tempo exaltam. Mas ainda não é disso que trataremos. Essa questão está no centro dessa experiência, haverá tempo para voltar a ela. Antes, reconheçamos esses temas e impulsos nascidos do deserto. Será suficiente enumerá-los. Hoje em dia são conhecidos por todos. Sempre houve homens para defender os direitos do irracional. A tradição do que podemos chamar de pensamento humilhado nunca deixou de estar viva. A crítica ao racionalismo foi feita tantas vezes que parece não haver mais o que dizer. Mas nossa época vê renascer esses sistemas paradoxais que se empenham em fazer a razão tropeçar, como se na verdade ela sempre tivesse andado com passos firmes. Mas isto não é prova da eficácia da razão, como tampouco da vivacidade de suas esperanças. No plano da história, essa constância de duas atitudes ilustra a paixão essencial do homem dilacerado entre sua atração pela unidade e a visão clara que pode ter dos muros que o encerram.

Mas nunca, talvez, como em nosso tempo, o ataque à razão foi tão forte. Desde o grande grito de Zaratustra: "Por acaso, é a nobreza mais antiga do mundo. Eu a atribuí a todas as coisas quando disse que acima dela não havia nenhuma vontade eterna a querer", desde a doença mortal de Kierkegaard, "esse mal que leva à morte sem mais nada depois dela", os temas significativos e torturantes do pensamento absurdo se sucederam. Pelo menos, e este detalhe é capital, os do pensamento irracional e religioso. De Jaspers a Heidegger, de Kierkegaard a Chestov, dos fenomenólogos a Scheler, no plano lógico e no plano moral, toda uma família de espíritos, aparentados por sua nostalgia, opostos por seus métodos ou seus fins, teimaram em obstruir a via real da razão e recuperar os caminhos retos da verdade. Estou supondo aqui pensamentos conhecidos e vividos.

Não importa quais sejam ou tenham sido suas ambições, todos eles partiram do universo indizível em que reinam a contradição, a antinomia, a angústia ou a impotência. E o que eles têm em comum são justamente os temas que até aqui abordamos. Sobre eles, também deve-se dizer que o que mais importa são as conclusões que puderam extrair dessas descobertas. Elas têm tanta importância que será preciso examiná-las à parte. Por enquanto abordamos somente suas descobertas e experiências iniciais. Trata-se apenas de constatar sua concordância. Seria presunçoso querer tratar de suas filosofias, mas é possível, e suficiente, em todo caso, expor o ambiente que lhes é comum.

Heidegger considera friamente a condição humana e anuncia que essa existência é humilhada. A única realidade é o "cuidado", em toda a escala dos seres. Para o homem perdido no mundo e suas distrações, tal cuidado é um breve e fugidio medo. Mas eis que esse medo toma consciência de si mesmo e torna-se angústia, ambiente perpétuo do homem lúcido, "no qual se reencontra a existência". Esse professor de filosofia escreve sem tremor e na linguagem mais abstrata do mundo que "o caráter finito e limitado da existência humana é mais primordial que o próprio homem". Ele se interessa por

Kant, mas é para reconhecer o caráter limitado de sua *Razão pura*. Tudo isso para concluir, ao cabo de suas análises, que "o mundo nada mais pode oferecer ao homem angustiado". A verdade desse cuidado lhe parece ultrapassar tanto, em termos de verdade, as categorias do raciocínio, que ele não para de pensar nisso e só fala disso. E enumera suas faces: de tédio quando o homem banal procura nivelá-lo em si mesmo e atordoá-lo, de terror quando o espírito contempla a morte. Ele tampouco separa a consciência do absurdo. A consciência da morte é o apelo do cuidado e "a existência se lança então um apelo próprio por intermédio da consciência". Ela é a própria voz da angústia e exorta a existência "a voltar a ser ela mesma depois de sua perda no Se anônimo". Também para ele não é preciso dormir, e sim ficar insone até a consumação. Ele se mantém neste mundo absurdo, denunciando seu caráter perecível. Procura seu caminho no meio dos escombros.

Jaspers desiste de toda ontologia porque quer que percamos a "ingenuidade". Sabe que não podemos atingir nada que transcenda o jogo mortal das aparências. Sabe que o fim do espírito é o fracasso. Percorre sem pressa as aventuras espirituais que a história nos oferece e desvenda impiedosamente a falha de cada sistema, a ilusão que salvou tudo, a pregação que nada ocultou. Neste mundo devastado onde foi demonstrada a impossibilidade de conhecer, onde o nada parece ser a única realidade e o desespero sem remédio, a única atitude, ele tenta encontrar o fio de Ariadne que conduz aos segredos divinos.

Chestov, por seu lado, ao longo de toda uma obra de admirável monotonia, sempre inclinado em direção às mesmas verdades, demonstra sem trégua que o sistema mais fechado, o racionalismo mais universal, sempre acaba batendo no irracional do pensamento humano. Não lhe escapa nenhuma evidência irônica, nenhuma contradição ridícula que desvalorize a razão. Apenas uma coisa lhe interessa, a exceção, seja na história do coração ou na história do espírito. Através das experiências dostoievskianas do condenado à morte, das aventuras exasperadas do espírito nietzschiano, das imprecações de Hamlet ou da amarga aristocracia de um Ibsen, ele rastreia, ilumina e magnifica a revolta humana contra o irremediável. Nega à razão suas razões e só no meio de um deserto sem cor, onde todas as certezas se transformaram em pedras, ele começa a dirigir seus passos com alguma decisão.

Kierkegaard, talvez o mais interessante de todos, pelo menos durante parte de sua existência fez melhor do que descobrir o absurdo: ele o viu. O homem que escreve: "O mais seguro dos mutismos não é calar-se, mas falar", de partida se assegura que nenhuma verdade é absoluta e não pode tornar satisfatória uma existência impossível em si mesma. Don Juan do conhecimento, ele multiplica os pseudônimos e as contradições, escreve os *Discursos edificantes* ao mesmo tempo em que esse manual de espiritualismo cínico que é *O diário do sedutor*. Rejeita os consolos, a moral, os princípios de todo repouso. Não pretende acalmar a dor do espinho que sente cravado no coração. Pelo contrário, ele a desperta e, com a alegria desesperada de um crucificado contente de sê-lo, constrói, peça por peça, lucidez, rejeição, comédia, uma categoria do demoníaco. Esse rosto ao mesmo tempo terno e zombeteiro, essas piruetas seguidas de um grito surgido do fundo da alma, eis o próprio espírito absurdo às voltas com uma realidade que o ultrapassa. E a aventura espiritual que leva Kierkegaard aos seus queridos escândalos também começa no caos de uma experiência despojada de seus cenários e entregue à sua incoerência primeira.

Num plano completamente diferente, o do método, por seus próprios exageros, Husserl e os fenomenólogos restituem o mundo na sua diversidade e negam o poder transcendente da razão. O universo espiritual se enriquece com eles de maneira incalculável. A pétala de rosa, o marco da quilometragem ou a mão humana têm tanta importância quanto o amor, o desejo ou as leis da gravidade. Pensar já não é mais unificar, tornar familiar a aparência sob o rosto de um grande princípio. Pensar é reapreender a ver, a ser atento, é dirigir a própria consciência, é fazer de cada ideia e de cada imagem, à maneira de Proust, um lugar privilegiado. Paradoxalmente, tudo é privilegiado. O que justifica o pensamento é sua extrema consciência. Mesmo sendo mais positivo que em Kierkegaard ou em Chestov, o procedimento husserliano, em sua origem, nega, contudo, o método clássico da razão, decepciona a esperança, abre à intuição e ao coração toda uma proliferação de fenômenos cuja riqueza tem algo de desumano. Tais caminhos levam a todas as ciências ou a nenhuma. Isto quer dizer que o meio, aqui, tem mais importância que o fim. Trata-se apenas "de uma atitude para conhecer" e não de um consolo. Mais uma vez, pelo menos na origem.

Como não perceber o parentesco profundo entre esses espíritos? Como não ver que eles se agrupam em torno de um espaço privilegiado e amargo onde a esperança não tem lugar? Quero que tudo me seja explicado, ou nada. E a razão é impotente diante desse grito do coração. O espírito, despertado por essa exigência, procura e nada encontra além de contradições e disparates. O que eu não entendo carece de razão. O mundo está povoado por tais irracionalidades. Aquele cujo significado único eu não entendo não passa de uma imensa irracionalidade. Pudesse dizer uma vez só: "isto está claro", e tudo se salvaria. Mas esses homens proclamam à porfia que nada é claro, tudo é caos, que o homem só mantém sua clarividência e o conhecimento preciso dos muros que o cercam.

Todas essas experiências concordam e se recobrem. O espírito que chega aos confins deve emitir um juízo e determinar suas conclusões. Aí se localizam o suicídio e a resposta. Mas quero inverter a ordem da investigação e partir da aventura inteligente para voltar aos gestos cotidianos. As experiências que evocamos aqui nasceram no deserto que não devemos abandonar. Pelo menos é preciso saber até onde elas chegaram. Neste ponto do seu caminho, o homem se encontra diante do irracional. Sente em si o desejo de felicidade e de razão. O absurdo nasce desse confronto entre o apelo humano e o silêncio irracional do mundo. Isto é o que não devemos esquecer. A isto é que devemos nos apegar, porque toda a consequência de uma vida pode nascer daí. O irracional, a nostalgia humana e o absurdo que surge de seu encontro, eis os três personagens do drama que deve necessariamente acabar com toda a lógica de que uma existência é capaz.

O suicídio filosófico

3

O sentimento do absurdo não é, portanto, a noção do absurdo. Ele a funda, simplesmente. Não se resume a ela, exceto no breve instante em que aponta seu juízo em direção ao universo. Depois só lhe resta ir mais longe. Está vivo, o que significa que deve morrer ou repercutir mais adiante, assim como os temas que reunimos. Mas, também aqui, o que me interessa não são as obras ou espíritos cuja crítica exigiria outra forma ou outro lugar, mas a descoberta do que há de comum nas suas conclusões. Talvez nunca tenham existido espíritos tão diferentes. Mas, apesar disso, reconhecemos como idênticas as paisagens espirituais por onde transitam. Do mesmo modo, o grito que culmina seu itinerário através de ciências tão diferentes ressoa da mesma maneira. Pode-se sentir que há um ambiente comum aos espíritos que acabamos de recordar. Dizer que esse ambiente é mortífero não passa de jogo de palavras. Viver sob este céu sufocante nos obriga a sair ou ficar.

A questão é saber como se sai, no primeiro caso, e por que se fica, no segundo. Defino assim o problema do suicídio e o interesse que se pode atribuir às conclusões da filosofia existencial.

Antes de prosseguir, quero me desviar por um instante do caminho. Até aqui, só pudemos circunscrever o absurdo pelo exterior. Mas podemos nos perguntar o que esta noção tem de clara e, com uma análise direta, tentar encontrar seu significado, por um lado, e, por outro, as consequências que ela acarreta.

Se eu acusar um inocente de um crime monstruoso, se eu afirmar que um homem virtuoso desejou sua própria irmã, ele me responderá que isso é absurdo. Tal indignação tem seu lado cômico. Mas também tem sua razão profunda. Com tal réplica o homem virtuoso ilustra a antinomia definitiva que existe entre o ato que lhe atribuo e os princípios de toda a sua vida. "É absurdo" significa: "é impossível", mas também: "é contraditório". Se eu presenciar um homem atacando um ninho de metralhadoras com uma arma branca, pensarei que seu ato é absurdo. Mas só é absurdo em virtude da desproporção entre sua intenção e a realidade que o espera, da contradição que posso perceber entre suas forças reais e o objetivo a que ele se propõe.

Assim como acharemos absurdo um veredicto que se opõe ao veredicto que os fatos aparentemente exigiam. Como também uma demonstração pelo absurdo é feita comparando-se as consequências desse raciocínio com a realidade lógica que se quer instaurar. Em todos estes casos, do mais simples ao mais complexo, o absurdo será tanto maior quanto maior for a distância entre os termos da minha comparação. Há casamentos absurdos, desafios, rancores, silêncios, guerras, e também pazes. Em toda parte o absurdo nasce de uma comparação. Tenho fundamentos para dizer, então, que o sentimento do absurdo não nasce do simples exame de um fato ou de uma sensação, mas sim da comparação entre um estado de fato e uma certa realidade, uma ação e o mundo que a supera. O absurdo é essencialmente um divórcio. Não consiste em nenhum dos elementos comparados. Nasce de sua confrontação.

No plano da inteligência, posso então dizer que o absurdo não está no homem (se semelhante metáfora pudesse ter algum sentido) nem no mundo, mas na sua presença comum. Até o momento, este é o único laço que os une. Se quiser me limitar às evidências, sei o que o homem quer, sei o que o mundo lhe oferece e agora posso dizer que sei também o que os une. Não preciso aprofundar mais. Uma única certeza é suficiente para aquele que busca. Trata-se apenas de extrair todas as consequências dela.

A consequência imediata disso é ao mesmo tempo uma regra de método. A singular trindade que assim aparece nada tem de uma América subitamente descoberta. Mas tem em comum com os dados da experiência o fato de ser ao mesmo tempo infinitamente simples e infinitamente complicada. Sua primeira característica a esse respeito é que ela não pode ser dividida. Destruir um dos seus termos é destruí-la totalmente. Não pode haver absurdo fora de um espírito humano. Por isso o absurdo acaba, como todas as coisas, com a morte. Mas tampouco pode haver absurdo fora deste mundo. E por este critério elementar julgo que a noção de absurdo é essencial e pode figurar como a primeira das minhas verdades. Aparece aqui a regra de método antes evocada. Se julgo que uma coisa é verdadeira, devo preservá-la. Se me disponho a buscar a solução para um problema, ao menos não posso escamotear com essa mesma solução um dos termos do problema. O único dado, para mim, é o absurdo. A questão é saber como livrar-se dele e se o suicídio deve ser deduzido desse absurdo. A primeira e, no fundo, única condição das minhas investigações é preservar aquilo que me oprime, respeitando em consequência o que julgo essencial nele. Acabo de defini-lo como uma confrontação e uma luta sem trégua.

E levando ao extremo essa lógica absurda, devo reconhecer que tal luta supõe a ausência total de esperança (que nada tem a ver com o desespero), a recusa contínua (que não deve ser confundida com a renúncia) e a insatisfação consciente (que não se poderia assimilar à inquietude juvenil). Tudo o que destrói, escamoteia ou desfalca estas exigências (e em primeiro lugar a admissão que destrói o divórcio) arruína o absurdo e desvaloriza a atitude que pode então ser proposta. O absurdo só tem sentido na medida em que não seja admitido.

Existe um fato evidente que parece absolutamente moral: um homem é sempre vítima de suas verdades. Uma vez que as reconhece, não é capaz de se desfazer delas. Precisa pagar um preço. Um homem consciente do absurdo está ligado a ele para sempre. Um homem sem esperança e consciente de sê-lo não pertence mais ao futuro. Isto é normal. Mas também é normal que se esforce para escapar do universo que criou. Tudo o que foi dito até aqui só tem sentido em função, justamente, deste paradoxo. Nada mais instrutivo quanto a isto do que examinar agora como os homens que reconheceram o ambiente absurdo, a partir de uma crítica ao racionalismo, impulsionaram suas consequências.

Para me ater às filosofias existenciais, vejo que todas me propõem, sem exceção, a evasão. Por um raciocínio singular, partindo do absurdo sobre os escombros da razão, num universo fechado e limitado ao humano, elas divinizam aquilo que as oprime e encontram uma razão para ter esperança dentro do que as desguarnece. Essa esperança forçada tem, em todos eles, uma essência religiosa. Merece que a examinemos melhor.

Vou analisar somente aqui, e a título de exemplo, alguns temas particulares de Chestov e Kierkegaard. Mas Jaspers nos fornece, de modo caricatural, um exemplo típico dessa atitude. Assim o resto se tornará mais claro. Ele se mostra impotente para realizar o transcendente, incapaz de sondar a profundidade da experiência e consciente desse universo perturbado pelo fracasso. Poderá avançar, ou ao menos extrair as conclusões desse fracasso? Ele não nos traz nada de novo. Não encontrou nada na experiência a não ser a confissão da sua própria impotência e nenhum pretexto para inferir qualquer princípio satisfatório. Entretanto, sem qualquer justificação, como ele mesmo diz, afirma numa só tacada o transcendente, o ser da experiência e o sentido supra-humano da vida ao escrever: "O fracasso mostra, para além de qualquer explicação e de qualquer interpretação possível, não o nada, mas o ser da transcendência." Este ser que subitamente, por um ato cego da confiança humana, explica tudo, ele o define como "a unidade inconcebível do geral e do particular". Assim, o absurdo torna-se deus (no sentido mais amplo da palavra) e essa impotência para compreender, o ser que ilumina tudo. Nada guia este raciocínio no campo da lógica. Posso chamá-lo de um salto. E, paradoxalmente, entende-se a insistência, a paciência infinita de Jaspers em tornar irrealizável a experiência do transcendente. Pois quanto mais fugaz é a aproximação, mais vã se revela essa definição e mais essa transcendência lhe é real, porque a paixão que ele emprega em afirmá-la é justamente proporcional à distância entre seu poder de explicação e a irracionalidade do mundo e da experiência. Parece então que Jaspers luta com mais denodo para destruir os preconceitos da razão à medida que explica o mundo mais radicalmente. Esse apóstolo do pensamento humilhado vai encontrar na humilhação extrema material para regenerar o ser em toda a sua profundidade.

O pensamento místico nos familiarizou com tais procedimentos. Eles são tão legítimos quanto qualquer outra atitude mental. Mas, por ora, eu ajo como se levasse a sério certo problema. Sem prejulgar o valor geral dessa atitude nem seu poder educativo, só quero considerar se ela responde às condições que me impus, se ela é digna do conflito que me interessa. Volto assim a Chestov. Um comentador transcreve uma frase sua que merece interesse: "A única saída verdadeira", diz ele, "é precisamente onde não há saída no juízo humano. Senão, para que precisaríamos de Deus? As pessoas só se dirigem a Deus para obter o impossível. Para o possível, os homens bastam." Se há uma filosofia chestoviana, posso muito bem dizer que ela é totalmente resumida assim. Pois quando, ao cabo de suas análises apaixonadas, Chestov descobre o absurdo fundamental de toda existência, ele não diz: "Eis o absurdo", mas sim: "Eis Deus: devemos remeter-nos a ele, mesmo que não corresponda a nenhuma das nossas categorias racionais." Para que não haja confusão, o filósofo russo insinua até que esse Deus talvez seja um pouco odiento e odioso, incompreensível e contraditório, mas quanto mais seu rosto é hediondo, mais ele afirma sua potência. Sua grandeza é sua inconsequência. Sua prova é sua desumanidade. É preciso saltar nele e com esse salto livrar-nos das ilusões racionais. Assim, para Chestov a aceitação do absurdo é contemporânea ao próprio absurdo. Constatá-lo é aceitá-lo, e todo o esforço lógico de seu pensamento é para mostrá-lo e ao mesmo tempo fazer surgir a esperança imensa que ele implica. Mais uma vez, essa atitude é legítima. Mas insisto aqui em considerar um único problema e todas as suas consequências. Não preciso examinar o pateticismo de um pensamento ou de um ato de fé. Tenho toda a minha vida para fazê-lo. Sei que o racionalista acha a atitude chestoviana irritante. Mas sinto também que Chestov tem razão contra o racionalista e só quero saber se ele permanece fiel aos mandamentos do absurdo.

Ora, se admitirmos que o absurdo é o contrário da esperança, veremos que o pensamento existencial, para Chestov, pressupõe o absurdo, mas só demonstra isto para dissipá-lo. Tal sutileza de pensamento é um truque patético de prestidigitador. Quando, por outro lado, Chestov opõe seu absurdo à moral comum e à razão, ele o chama de verdade e redenção. Há então, fundamentando esta definição do absurdo, uma aprovação de Chestov. Se reconhecermos que todo o poder desta noção reside em como ela fere nossas esperanças elementares, se percebermos que o absurdo exige, para se manter, que não seja admitido, veremos então que perdeu seu rosto verdadeiro, seu caráter humano e relativo, para entrar numa eternidade ao mesmo tempo incompreensível e satisfatória. Se há absurdo, é no universo do homem. Desde o momento em que sua noção se transforma em trampolim de eternidade, não está mais relacionada com a lucidez humana. O absurdo não é mais aquela evidência que o homem constata sem admitir. A luta é evitada. O homem integra o absurdo e nessa comunhão faz desaparecer seu caráter essencial que é oposição, dilaceramento e divórcio. Este salto é uma escapatória. Chestov, que cita com tanta desenvoltura a fala de Hamlet *The time is out of joint*, a escreve com uma espécie de esperança selvagem que pode particularmente ser atribuída a ele. Pois não é assim que Hamlet a pronuncia ou que Shakespeare a escreve. A embriaguez do irracional e a vocação do êxtase desviam do absurdo um espírito clarividente. Para Chestov, a razão é vã, mas existe alguma coisa além da razão. Para um espírito absurdo, a razão é vã e não existe nada além da razão.

Este salto pode ao menos nos esclarecer um pouco mais sobre a verdadeira natureza do absurdo. Sabemos que só funciona dentro de um equilíbrio, que está mais na comparação que nos termos dessa comparação. Mas Chestov, justamente, joga todo o peso sobre um dos termos e destrói o equilíbrio. Nosso apetite de compreender, nossa nostalgia do absoluto só são explicáveis na medida em que podemos compreender e explicar muitas coisas. É inútil negar absolutamente a razão. Ela tem sua ordem, na qual é eficaz. A ordem é, justamente, a da experiência humana. É por isso que queremos deixar tudo claro. Se não podemos fazê-lo, se o absurdo então surge, é precisamente no encontro dessa razão eficaz porém limitada com irracional sempre renascido. Ora, quando Chestov se irrita contra uma proposição hegeliana deste tipo: "Os movimentos do sistema solar se realizam segundo leis imutáveis e essas leis são sua razão", quando emprega toda a sua paixão para deslocar o racionalismo espinosista, conclui justamente com a inutilidade de toda razão. Daí, por um desvio natural e ilegítimo, com a preeminência do irracional.* Mas a

---

* Particularmente a propósito da noção de exceção e contra Aristóteles.

passagem não é evidente. Pois aqui podem intervir a noção de limite e a de plano. As leis da natureza podem ser válidas até certo limite, ultrapassado o qual elas se voltam contra si mesmas e fazem nascer o absurdo. Ou podem se legitimar no plano da descrição sem por isto serem verdadeiras no plano da explicação. Tudo aqui é sacrificado ao irracional e, sendo escamoteada a exigência de clareza, o absurdo desaparece junto com um dos termos de sua comparação. O homem absurdo, pelo contrário, não realiza esse nivelamento. Ele reconhece a luta, não despreza em absoluto a razão e admite o irracional. Recobre assim com o olhar todos os dados da experiência e está pouco disposto a saltar antes de saber. Ele só sabe que, nessa consciência atenta, já não há lugar para a esperança.

O que é perceptível em Leon Chestov talvez o seja ainda mais em Kierkegaard. Por certo, é difícil circunscrever proposições claras num autor tão fugidio. Mas, apesar dos escritos aparentemente contrapostos, acima dos pseudônimos, dos jogos e dos sorrisos, sentimos aparecer ao longo dessa obra algo como o pressentimento (ao mesmo tempo que a apreensão) de uma verdade que acaba por explodir nos últimos textos: Kierkegaard também dá seu salto. Ele volta finalmente para o cristianismo, em seu rosto mais duro, que tanto o assustava na infância. Também para ele, a antinomia e o paradoxo tornam-se critérios do religioso. Assim, aquilo mesmo que lhe provocava desespero quanto ao sentido e à profundidade desta vida lhe dá agora sua verdade e sua clareza. O cristianismo é o escândalo, e o que Kierkegaard pede com simplicidade é o terceiro sacrifício exigido por Inácio de Loyola, aquele com o qual Deus mais se delicia: "o sacrifício do Intelecto."* Este efeito do "salto" é bizarro, mas não deve nos surpreender mais. Ele faz do absurdo o critério do outro mundo, enquanto não passa de um resíduo da experiência deste mundo. "Em seu fracasso", diz Kierkegaard, "o crente encontra seu triunfo."

Não preciso me perguntar a que emocionante predição se vincula esta atitude. Só preciso me perguntar se o espetáculo do absurdo e seu próprio caráter a legitimam.

---

* Pode-se pensar que subestimo aqui o problema essencial, que é o da fé. Mas não estou examinando a filosofia de Kierkegaard, ou de Chestov, ou, indo mais longe, de Husserl (seria preciso outro lugar e outra atitude de espírito). Tomo um de seus temas emprestado e examino se suas consequências se ajustam às regras já fixadas. Trata-se apenas de teimosia.

Quanto a isto, sei que não é assim. Considerando novamente o conteúdo do absurdo, podemos compreender melhor o método que inspira Kierkegaard. Entre o irracional do mundo e a nostalgia rebelde do absurdo, ele não mantém o equilíbrio. Não respeita a relação constitutiva, para falar com propriedade, do sentimento do absurdo. Certo de não poder escapar do irracional, pode ao menos salvar-se dessa nostalgia desesperada que lhe parece estéril e sem alcance. Mas se pode ter razão neste ponto em seu juízo, não ocorre o mesmo com sua negação. Se substituir seu grito de rebeldia por uma adesão furiosa, ele será levado a ignorar o absurdo que o iluminava até então e a divinizar a única certeza que daí por diante terá, o irracional. O importante, dizia o abade Galiani a Mme. d'Epinay, não é se curar, mas conviver com os próprios males. Kierkegaard quer se curar. Curar-se é seu desejo furioso, que percorre seu diário de ponta a ponta. Todo o esforço da sua inteligência é escapar à antinomia da condição humana. Esforço ainda mais desesperado quando ele percebe, em lampejos, a vaidade. Por exemplo, quando fala de si, como se nem o temor a Deus nem a piedade fossem capazes de lhe trazer a paz. É assim que, por um subterfúgio torturado, ele dá ao irracional o rosto do absurdo e a Deus, seus atributos: injusto, inconsequente e incompreensível. Só a inteligência tenta sufocar nele a reivindicação profunda do coração humano. Já que nada é provado, tudo pode ser provado.

É o próprio Kierkegaard quem nos revela o caminho seguido. Não quero sugerir nada aqui, mas como não ler em suas obras os sinais de uma mutilação quase voluntária da alma diante da mutilação consentida do absurdo? É o *leitmotiv* do *Diário*. "O que me falhou foi a fera que, também ela, faz parte do destino humano... Mas deem-me então um corpo." E mais adiante: "Oh! Sobretudo na minha primeira juventude, o que não daria eu para ser homem, nem que fosse por seis meses... o que me falta, no fundo, é um corpo e as condições físicas da existência." Contudo, o mesmo homem faz seu, em outro lugar, o grande grito de esperança que atravessou tantos séculos e animou tantos corações, exceto o do homem absurdo. "Mas, para o cristão, a morte não é de modo algum o fim de tudo, ela implica infinitamente mais esperança que a vida comporta para nós, mesmo transbordando de saúde e força." A reconciliação por meio do escândalo ainda é reconciliação. Talvez ela permita, como se vê, extrair a esperança do seu contrário, que é a morte. Mas por mais que a simpatia nos incline a tal atitude, é preciso dizer, no entanto, que a desmesura não justifica nada. Isso ultrapassou a medida humana, dizem, então deve ser sobre-humano. Mas este "então" está sobrando. Não há aqui certeza lógica. Tampouco há probabilidade experimental. Tudo o que posso dizer é que, de fato, isso ultrapassa as minhas medidas. Não depreendo daí uma negação, mas ao menos não quero fundamentar coisa alguma no incompreensível. Quero saber se posso viver com o que sei, e só com isso. Dizem-me ainda que a inteligência deve sacrificar aqui o seu orgulho e a razão, se inclinar. Mas se reconheço os limites da razão, nem por isso a nego, reconhecendo seus poderes relativos. Só quero continuar neste caminho médio onde a inteligência pode permanecer clara. Se este é o seu orgulho, não vejo razão suficiente para renunciar a ele. Nada mais profundo, por exemplo, que o ponto de vista de Kierkegaard segundo o qual o desespero não é um fato, mas um estado: o próprio estado do pecado. Pois o pecado é o que afasta de Deus. O absurdo, que é o estado metafísico do homem consciente, não conduz a Deus.* Talvez esta noção se esclareça se eu arriscar o disparate: o absurdo é o pecado sem Deus.

---

* Eu não disse "exclui Deus", o que também seria afirmar.

Trata-se de viver nesse estado do absurdo. Sei qual é o seu fundamento, o espírito e o mundo apoiados um no outro sem poderem se abraçar. Pergunto pela regra de vida desse estado e o que me apresentam despreza seu fundamento, nega um dos termos da oposição dolorosa e me exige uma renúncia. Pergunto o que significa a condição que reconheço como minha, sei que implica a escuridão e a ignorância, e me asseguram que essa ignorância explica tudo e que essa noite é a minha luz. Mas aqui não respondem à minha intenção e esse lirismo exaltante não pode me esconder o paradoxo. Temos então que nos desviar. Kierkegaard pode gritar, avisar: "Se o homem não tivesse uma consciência eterna, se, no fundo de todas as coisas, só tivesse um poder selvagem e fervente, produzindo todas as coisas, o grande e o fútil, no turbilhão de paixões obscuras, se o vazio sem fundo que nada pode preencher se ocultasse sob as coisas, o que seria então a vida, senão o desespero?" Este grito não pode deter o homem absurdo. Buscar o que é verdadeiro não é buscar o que é desejável. Se, para fugir da pergunta angustiante: "O que seria então a vida?", é preciso alimentar-se, como o asno, das rosas da ilusão antes que se resignar à mentira, o espírito absurdo prefere adotar sem tremor a resposta de Kierkegaard: "o desespero." Afinal, uma alma determinada sempre acaba se saindo bem.

Tomo aqui a liberdade de chamar de suicídio filosófico a atitude existencial. Mas isto não implica um julgamento. É uma maneira cômoda de designar o movimento pelo qual um pensamento nega a si mesmo e tende a superar-se no que diz respeito à sua negação. A negação é o Deus dos existencialistas. Esse deus, exatamente, só se sustenta pela negação da razão humana.* Mas, como os suicídios, os deuses mudam de acordo com os homens. Há várias maneiras de saltar, mas o essencial é saltar. Essas negações redentoras, essas contradições finais que negam o obstáculo que ainda não foi superado, tanto podem nascer (é o paradoxo deste raciocínio) de uma certa inspiração religiosa quanto da ordem racional. Elas sempre aspiram ao eterno, e só nisso dão o salto.

É preciso dizer também que o raciocínio seguido neste ensaio deixa totalmente de lado a atitude espiritual mais difundida no nosso século ilustrado: aquele

---

* Esclareçamos outra vez: não é a afirmação de Deus que é aqui questionada, mas a lógica que conduz a ela.

que se baseia no princípio de que tudo é razão e que pretende explicar o mundo. É natural dar-lhe uma explicação clara quando se admite que ele deve ser claro. E isto é até legítimo, mas não interessa ao raciocínio que seguimos aqui. O objetivo deste, com efeito, é esclarecer o procedimento mental que, partindo de uma filosofia da não significação do mundo, acaba encontrando-lhe um sentido e uma profundidade. O mais patético de tais procedimentos tem essência religiosa e é ilustrado pelo tema do irracional. Porém, o mais paradoxal e mais significativo deles é por certo o que dá suas razões racionáveis a um mundo que a princípio imaginava sem princípio diretor. Em todo caso, não poderíamos chegar às consequências que nos interessam sem dar uma ideia dessa nova aquisição do espírito de nostalgia.

Examinarei apenas o tema "a Intenção", posto na moda por Husserl e os fenomenólogos. Já aludimos a ele. Primitivamente, o método husserliano nega o procedimento clássico da razão. Repitamos. Pensar não é unificar, familiarizar a aparência com o aspecto de um grande princípio. Pensar é reaprender a ver, dirigir a própria consciência, fazer de cada imagem um lugar privilegiado. Em outras palavras, a fenomenologia se nega a explicar o mundo, quer simplesmente ser uma descrição do vivido. Coincide com o pensamento absurdo na sua afirmação inicial de que não existe verdade, só existem verdades. Do vento da noite até esta mão em meu ombro, cada coisa tem sua verdade. É a consciência que a ilumina, pela atenção que lhe presta. A consciência não forma o objeto do seu conhecimento, somente fixa, ela é o ato de atenção e, para retomar uma imagem bergsoniana, se assemelha a um aparelho de projeção que de repente congela uma imagem. A diferença é que não há roteiro, mas uma ilustração sucessiva e inconsequente. Nessa lanterna mágica, todas as imagens são privilegiadas. A consciência deixa em suspenso na experiência os objetos de sua atenção. Isola-os com seu milagre, deixando-os então à margem de todos os juízos. O que caracteriza a consciência é essa "intenção". Mas esta palavra não implica nenhuma ideia de finalidade; é tomada em seu sentido de "direção": tem valor meramente topográfico.

À primeira vista, parece então que nada contradiz o espírito absurdo. Essa aparência modesta do pensamento, que se limita a descrever o que se nega a explicar, e essa disciplina voluntária que estimula paradoxalmente o enriquecimento profundo da experiência e o renascimento do mundo em sua fecundidade são os procedimentos do absurdo. Ao menos à primeira vista. Pois os métodos de pensamento, neste caso como em outros, sempre comportam dois aspectos, um psicológico e outro metafísico.* Assim, abrigam duas verdades. Se o tema da intencionalidade só pretende ilustrar uma atitude psicológica, pela qual o real deveria ser esgotado em vez de explicado, nada de fato o separa do espírito absurdo. Quer enumerar o que não consegue transcender. Apenas afirma que, na ausência de qualquer princípio de unidade, o pensamento ainda pode encontrar suas alegrias descrevendo e compreendendo cada faceta da experiência. A verdade que vige para cada uma dessas facetas é de ordem psicológica. Ela apenas dá testemunho do "interesse" que a realidade pode apresentar. É uma maneira de despertar um mundo sonolento e reanimá-lo para o espírito. Mas se quisermos ampliar e fundamentar racionalmente esta noção de verdade, se pretendermos descobrir assim a "essência" de cada objeto do conhecimento, restituíre-

---

* Até as epistemologias mais rigorosas supõem metafísicas. A tal ponto, que a metafísica de grande parte dos pensadores da nossa época consiste em só ter uma epistemologia.

mos sua profundidade à experiência. Para um espírito absurdo, isto é incompreensível. Pois tal oscilação entre a modéstia e a segurança é o mais perceptível na atitude intencional, e essa reverberação do pensamento fenomenológico ilustra melhor que qualquer outra coisa o raciocínio absurdo.

Pois Husserl também fala de "essências extratemporais" que a intenção atualiza, e pensamos que estamos ouvindo Platão. Não se explicam todas as coisas por uma só, mas por todas. Não vejo a diferença. Ainda não se pretende, por certo, que aquelas ideias ou essências que a consciência "efetua" ao termo de cada descrição sejam modelos perfeitos. Mas se afirma que estão diretamente presentes em todo dado de percepção. Já não há uma única ideia que explica tudo, mas uma infinidade de essências que dão sentido a uma infinidade de objetos. O mundo se imobiliza, mas se ilumina. O realismo platônico torna-se intuitivo, mas ainda é realismo. Kierkegaard se abismava em seu Deus, Parmênides precipitava o pensamento no Um. Mas aqui o pensamento se lança num politeísmo abstrato. Mais ainda: as alucinações e as ficções também fazem parte das "essências extratemporais". No novo mundo das ideias, a categoria de centauro colabora com a mais modesta de metrô.

Para o homem absurdo havia uma verdade, ao mesmo tempo que uma amargura, na opinião puramente psicológica de que todas as facetas do mundo são privilegiadas. Que tudo seja privilegiado quer dizer que tudo é equivalente. Mas o aspecto metafísico desta verdade o leva tão longe que, por uma reação elementar, sente-se talvez mais próximo de Platão. Com efeito, aprendeu que toda imagem supõe uma essência, igualmente privilegiada. Nesse mundo ideal sem hierarquias, o exército formal só se compõe de generais. Sem dúvida a transcendência havia sido eliminada. Mas um brusco giro do pensamento reintroduziu no mundo uma espécie de imanência fragmentária que restitui sua profundidade ao universo.

Terei eu levado longe demais um tema tratado com mais prudência por seus criadores? Limito-me a ler estas afirmações de Husserl, de aparência paradoxal, mas cuja rigorosa lógica é perceptível, se admitirmos o que precede: "O que é verdadeiro é verdadeiro absolutamente, em si; a verdade é uma; idêntica a si mesma, sejam quais forem os seres que a percebam, homens, monstros, anjos ou deuses." Não posso negar que nestas palavras a Razão triunfa e clareia. Mas o que pode significar sua afirmação no mundo absurdo? A percepção de um anjo ou de um deus não tem sentido para mim. Esse lugar geométrico onde a razão divina ratifica a minha razão me é para sempre incompreensível. Também nisto descubro um salto e, mesmo sendo na abstração, não deixa de significar para mim o esquecimento do que, precisamente, não quero esquecer. Quando, mais adiante, Husserl exclama: "Se todas as massas submetidas à gravidade desaparecessem, a lei da gravidade não seria destruída, mas ficaria simplesmente sem aplicação possível", sei que me encontro diante de uma metafísica da consolação. E se quiser descobrir a reviravolta na qual o pensamento abandona o caminho da evidência, basta reler o raciocínio paralelo de Husserl em relação à mente: "Se pudéssemos contemplar claramente as leis exatas dos processos psíquicos, estas se mostrariam tão eternas e invariáveis quanto as leis fundamentais das ciências naturais teóricas. Então seriam válidas mesmo que não houvesse nenhum processo psíquico." Mesmo que o espírito não existisse, existiriam suas leis! Compreendo então que, de uma verdade psicológica, Husserl pretende fazer uma regra racional: depois de ter negado o poder integrante da razão humana, por este viés mergulha na Razão eterna.

O tema husserliano do "universo concreto" não pode então me surpreender. Dizer que nem todas as essências são formais, pois há algumas materiais, que as primeiras são objeto da lógica e as segundas das ciências, tudo isso não passa de uma questão de definição. Afirmam que o abstrato só designa uma parte não consistente em si mesma de um universal concreto. Mas a vacilação já revelada me permite esclarecer a confusão entre estes termos. Pois isso pode querer dizer que o objeto concreto da minha atenção, o céu, o reflexo desta água no pano deste agasalho conservam por si sós aquele prestígio do real que meu interesse isola no mundo. E eu não iria negá-lo. Mas também pode significar que esse mesmo agasalho é universal, tem sua essência particular e suficiente, pertence ao mundo das formas. Compreendo então que só mudou a ordem da procissão. Este mundo não tem mais seu reflexo num universo superior, porém o céu das formas é representado na multidão de imagens desta Terra. O que não muda nada para mim. O que encontro aqui não é o gosto pelo concreto, mas um intelectualismo bastante desenfreado para generalizar o próprio concreto.

*

Seria inútil surpreender-se com o aparente paradoxo que conduz o pensamento à sua própria negação pelas vias opostas da razão humilhada e da razão triunfante. A distância entre o deus abstrato de Husserl e o deus fulgurante de Kierkegaard não é tão grande. A razão e o irracional levam à mesma predicação. Na verdade, o caminho importa pouco, a vontade de chegar basta para tudo. O filósofo abstrato e o filósofo religioso partem do mesmo desconcerto e se apoiam na mesma angústia. Mas o essencial é explicar. Aqui a nostalgia é mais forte do que a ciência. É significativo que o pensamento da nossa época seja ao mesmo tempo um dos mais impregnados por uma filosofia da não significação do mundo e um dos mais dilacerados em suas conclusões. Não cessa de oscilar entre a extrema racionalização do real, que leva a fragmentá-lo em razões-tipos, e sua extrema irracionalização, que leva a divinizá-lo. Mas tal divórcio é apenas aparente. A questão é reconciliar--se e, nos dois casos, o salto basta para fazê-lo. Sempre se pensa, erroneamente, que a noção de razão tem um sentido único. Na verdade, por mais rigoroso que seja em sua ambição, o conceito não deixa de ser tão movediço quanto os outros. A razão tem um rosto totalmente humano, mas também sabe voltar-se para o divino. Desde Plotino, o primeiro que soube conciliá-la com o clima eterno, ela aprendeu a afastar-se do mais caro dos seus princípios, que é a contradição, para incorporar o mais alheio, o princípio, totalmente mágico, da participação.* Ela é um instrumento de pensamento e não o próprio pensamento. O pensamento de um homem é antes de mais nada sua nostalgia.

Assim como a razão soube aplacar a melancolia plotiniana, ela fornece à angústia moderna os meios de se acalmar nos cenários familiares do eterno. O espírito absurdo tem menos sorte. O mundo para ele não é tão racional, nem irracional a tal ponto. É irracionável, e nada mais do que isso. Em Husserl, a razão termina não tendo limites. O absurdo, pelo contrário, fixa seus

---

* A — Nessa época, a razão precisava adaptar-se ou morrer. Ela se adaptou. Com Plotino, transformou-se de lógica em estética. A metáfora substitui o silogismo.

B — Aliás, não é a única contribuição de Plotino à fenomenologia. Toda esta posição já está contida na ideia, tão cara ao pensador alexandrino, de que não há somente uma ideia de homem, mas também uma ideia de Sócrates.

limites, porque é impotente para acalmar sua angústia. Kierkegaard, por seu lado, afirma que um único limite basta para negá-la. Mas o absurdo não chega tão longe. Esse limite, para ele, só visa às ambições da razão. O tema do irracional, tal como é concebido pelos existencialistas, é a razão que se enreda e se liberta ao se negar. O absurdo é a razão lúcida que constata seus limites.

É ao final deste caminho difícil que o homem absurdo reconhece suas verdadeiras razões. Quando compara sua exigência profunda com o que então lhe propõem, sente subitamente que vai se desviar. No universo de Husserl, o mundo fica mais claro e o apetite de familiaridade que reside no coração do homem torna-se inútil. No apocalipse de Kierkegaard, esse desejo de clareza deve renunciar se quiser ser satisfeito. O pecado não consiste tanto em saber (quanto a isso, todo mundo é inocente), mas em desejar saber. Este, justamente, é o único pecado do qual o homem absurdo pode se sentir ao mesmo tempo culpado e inocente. Propõem-lhe um desenlace em que todas as contradições passadas não são mais do que jogos polêmicos. Mas ele não as sentiu assim. É preciso conservar sua verdade, que consiste em não serem satisfeitas. Ele não quer a predicação.

Meu raciocínio deseja ser fiel à evidência que o despertou. Tal evidência é o absurdo, o divórcio entre o espírito que deseja e o mundo que decepciona, minha nostalgia de unidade, o universo disperso e a contradição que os enlaça. Kierkegaard suprime a minha nostalgia e Husserl reúne esse universo. Não o que eu esperava. A questão era viver e pensar com esses dilaceramentos, saber se era preciso aceitar ou recusar. Não pode ser uma questão de disfarçar a evidência, suprimir o absurdo negando um dos termos de sua equação. É preciso saber se pode viver nele ou se a lógica manda que se morra por ele. Não me interesso pelo suicídio filosófico, mas pelo suicídio, simplesmente. Só quero purgá-lo do seu conteúdo de emoções e conhecer sua lógica e sua honestidade. Qualquer outra posição supõe para o espírito absurdo a escamoteação e o recuo do espírito diante daquilo que o próprio espírito revela. Husserl diz que obedece ao desejo de escapar "do hábito inveterado de viver e de pensar sob certas condições de existência já bem conhecidas e confortáveis", mas o salto final nos restitui nele o eterno e seu conforto. O salto não representa um perigo extremo, como Kierkegaard gostaria. O perigo está, pelo contrário, no instante sutil que precede o salto. A honestidade consiste em saber manter-se nessa aresta vertiginosa, o resto é subterfúgio. Sei também que jamais a impotência inspirou acordes tão comoventes quanto os de Kierkegaard. Mas se a impotência tem seu lugar nas paisagens indiferentes da história, fica deslocada num raciocínio cuja exigência conhecemos agora.

A liberdade absurda

4

Agora o principal está feito. Tenho algumas evidên-cias das quais não posso me separar. O que sei, o que é certo, o que não posso negar, o que não posso recusar, eis o que interessa. Posso negar tudo desta parte de mim que vive de nostalgias incertas, menos esse desejo de unidade, esse apetite de resolver, essa exigência de clareza e de coesão. Posso refutar tudo neste mundo que me rodeia, que me fere e me transporta, salvo o caos, o acaso-rei e a divina equivalência que nasce da anarquia. Não sei se este mundo tem um sentido que o ultrapassa. Mas sei que não conheço esse sentido e que por ora me é impossível conhecê-lo. O que significa para mim significação fora da minha condição? Eu só posso compreender em termos humanos. O que eu toco, o que me resiste, eis o que compreendo. E estas duas certezas, meu apetite pelo absoluto e pela unidade e a irredutibilidade deste mundo a um princípio racional e razoável, sei também que não posso conciliá-las. Que outra verdade poderia reconhecer sem mentir, sem apresentar uma esperança que não tenho e que não significa nada nos limites da minha condição?

Se eu fosse uma árvore entre as árvores, gato entre os animais, a vida teria um sentido ou, antes, o problema não teria sentido porque eu faria parte desse mundo. Eu *seria* esse mundo ao qual me oponho agora com toda a minha consciência e com toda a minha exigência de familiaridade. Esta razão, tão irrisória, é a que me opõe a toda a criação. Não posso negá-la de uma penada. Por isso devo sustentar o que considero certo. Devo afirmar, mesmo contra mim, aquilo que me aparece como evidente. E o que constitui o fundo do conflito, da fratura entre o mundo e o meu espírito, senão a consciência que tenho dela? Assim, então, se quero sustentá-lo, deve ser por meio de uma consciência perpétua, sempre renovada, sempre tensa. Eis o que devo lembrar por enquanto. Nesse momento, o absurdo, ao mesmo tempo tão evidente e tão difícil de conquistar, entra na vida de um homem e reencontra a sua pátria. Ainda nesse momento, o espírito pode abandonar a estrada árida e ressecada do esforço lúcido, que desemboca agora na vida cotidiana. Reencontra o mundo do "se" anônimo, mas agora o homem entra nele com sua rebelião e sua clarividência. Ele desaprendeu a esperar. Esse inferno do presente é finalmente seu reino. Todos os problemas recuperam sua lâmina. A evidência abstrata se retira diante do lirismo das formas e das cores. Os conflitos espirituais se encarnam e voltam a encontrar seu abrigo miserável e magnífico no coração do homem. Nenhum deles está resolvido. Mas todos se transfiguraram. Vamos morrer, escapar pelo salto, reconstruir uma casa de ideias e de formas à nossa medida? Ou, pelo contrário, vamos manter a aposta dilacerante e maravilhosa do absurdo? Façamos um último esforço a esse respeito e vejamos todas as nossas consequências. O corpo, a ternura, a criação, a ação, a nobreza humana retomarão então seu lugar neste mundo insensato. O homem finalmente reencontrará aí o vinho do absurdo e o pão da indiferença com que nutre a sua grandeza.

Insistamos de novo no método: trata-se de obstinação. Em certo ponto do seu caminho, o homem absurdo é solicitado. Na história não faltam religiões nem profetas, mesmo sem deuses. Pedem-lhe para saltar. Tudo o que ele pode responder é que não entende bem, que isso não é coisa evidente. Só quer fazer, justamente, aquilo que entende bem. Afirmam que aquilo é pecado de orgulho, mas ele não entende a noção de pecado; talvez o inferno esteja ao final, mas ele não tem imaginação suficiente para vislumbrar esse estranho futuro; talvez perca a vida imortal, mas isso lhe parece fútil. Querem que reconheça sua culpa. Ele se sente inocente. Na verdade, só sente isto, sua inocência irreparável. É ela que lhe permite tudo. Assim, o que ele exige de si mesmo é viver *somente* com o que sabe, arranjar-se com o que é e não admitir nada que não seja certo. Respondem-lhe que nada é certo. Mas isto, pelo menos, é uma certeza. É com ela que tem que lidar: quer saber se é possível viver sem apelação.

Agora posso abordar a noção de suicídio. Já vimos que solução é possível dar-lhe. Neste ponto, o problema se inverte. Anteriormente tratava-se de saber se a vida devia ter um sentido para ser vivida. Agora parece, pelo contrário, que será tanto melhor vivida quanto menos sentido tiver. Viver uma experiência, um destino, é aceitá-lo plenamente. Mas, sabendo-o absurdo, não se viverá esse destino sem fazer de tudo para manter diante de si o absurdo iluminado pela consciência. Negar um dos termos da oposição na qual se vive é fugir dela.

Abolir a revolta consciente é eludir o problema. O tema da revolução permanente se transfere assim para a experiência individual. Viver é fazer que o absurdo viva. Fazê-lo viver é, antes de mais nada, contemplá-lo. Ao contrário de Eurídice, o absurdo só morre quando viramos as costas para ele. Por isso, uma das poucas posturas filosóficas coerentes é a revolta, o confronto perpétuo do homem com sua própria escuridão. Ela é a exigência de uma transparência impossível e questiona o mundo a cada segundo. Assim como o perigo proporciona ao homem uma oportunidade insubstituível de captá-la, também a revolta metafísica estende a consciência ao longo de toda a experiência. Ela é a presença constante do homem diante de si mesmo. Não é aspiração, porque não tem esperança. Essa revolta é apenas a certeza de um destino esmagador, sem a resignação que deveria acompanhá-la.

Aqui se vê como a experiência absurda se afasta do suicídio. Pode-se pensar que o suicídio se segue à revolta. Mas é um engano. Porque ele não representa seu desenlace lógico. É exatamente o seu contrário, pela admissão que supõe. O suicídio, como o salto, é a aceitação em seu limite máximo. Tudo se consumou, o homem retorna à sua história essencial. Divisa seu futuro, seu único e terrível futuro, e se precipita nele. À sua maneira, o suicídio resolve o absurdo. Ele o arrasta para a própria morte. Mas eu sei que, para manter-se, o absurdo não pode ser resolvido. Recusa o suicídio na medida em que é ao mesmo tempo consciência e recusa da morte. É, na extremidade do último pensamento do condenado à morte, aquele cadarço de sapato que, apesar de tudo, percebe a poucos metros, bem na beirada de sua queda vertiginosa. O contrário do suicida é, precisamente, o condenado à morte.

Essa revolta dá seu valor à vida. Estendida ao longo de toda uma existência, restaura sua grandeza. Para um homem sem antolhos não há espetáculo mais belo que o da inteligência às voltas com uma realidade que o supera. O espetáculo do orgulho humano é inigualável. Nenhum descrédito o afetará. Essa disciplina que o espírito impõe a si mesmo, essa vontade armada dos pés à cabeça, esse cara a cara têm algo de poderoso e singular. Empobrecer essa realidade cuja inumanidade constitui a grandeza do homem supõe empobrecê-lo também. Compreendo então por que as doutrinas que me explicam tudo ao mesmo tempo me enfraquecem. Elas me livram do peso da minha própria vida, e no entanto preciso carregá-lo sozinho. Neste ponto, não posso conceber que uma metafísica cética se alie à moral da renúncia.

Consciência e revolta, estas recusas são o contrário da renúncia. Pelo contrário, tudo o que há de irredutível e apaixonado num coração humano, lhes insufla ânimo e vida. Trata-se de morrer irreconciliado, não de bom grado. O suicídio é um desconhecimento. O homem absurdo não pode fazer outra coisa senão esgotar tudo e se esgotar. O absurdo é sua tensão mais extrema, aquela que ele mantém constantemente com um esforço solitário, pois sabe que com essa consciência e com essa revolta dá testemunho cotidianamente de sua única verdade, que é o desafio. Isto é uma primeira consequência.

Se eu me mantiver na posição definida que consiste em extrair todas as consequências (e só elas) que uma noção descoberta implica, vou encontrar um segundo paradoxo. Para permanecer fiel a este método, não tenho nada a ver com o problema da liberdade metafísica. Não me interessa saber se o homem é livre. Só posso experimentar minha própria liberdade. E sobre esta não posso ter noções gerais, somente algumas apreciações claras. O problema da "liberdade em si" não tem sentido. Porque está ligado de uma outra maneira ao problema de Deus. Saber se o homem é livre exige saber se ele pode ter um amo. A absurdidade particular deste problema é que a própria noção que possibilita o problema da liberdade lhe retira, ao mesmo tempo, todo o seu sentido. Porque diante de Deus, mais que um problema da liberdade, há um problema do mal. A alternativa é conhecida: ou não somos livres e o responsável pelo mal é Deus todo-poderoso, ou somos livres e responsáveis, mas Deus não é todo-poderoso. Todas as sutilezas das escolas nada acrescentaram nem tiraram de decisivo a este paradoxo.

Por isso não posso me perder na exaltação ou na simples definição de uma noção que me escapa e perde seu sentido a partir do momento em que ultrapassa o âmbito de minha experiência individual. Não posso entender o que seria uma liberdade dada por um ser superior. Perdi o senso da hierarquia. Da liberdade só posso ter a concepção do prisioneiro ou do indivíduo moderno no seio do Estado. A única que conheço é a liberdade de espírito e de ação. Ora, se o absurdo aniquila todas as minhas possibilidades de liberdade eterna, também me devolve e exalta, pelo contrário, minha liberdade de ação. Tal privação de esperança e de futuro significa um crescimento na disponibilidade do homem.

Antes de encontrar o absurdo, o homem cotidiano vive com metas, uma preocupação com o futuro ou a justificação (não importa em relação a quem ou a quê). Avalia suas possibilidades, conta com o porvir, com sua aposentadoria ou o trabalho dos filhos. Ainda acredita que alguma coisa em sua vida pode ser dirigida. Na verdade, age como se fosse livre, por mais que todos os fatos se encarreguem de contradizer tal liberdade. Depois do absurdo, tudo fica abalado. A ideia de que "existo", minha maneira de agir como se tudo tivesse um sentido (mesmo que, eventualmente, eu diga que nada tem), tudo isso acaba sendo desmentido de maneira vertiginosa pelo absurdo de uma morte possível. Pensar no amanhã, determinar uma meta, ter preferências, tudo isso supõe acreditar na liberdade, mesmo que se assegure, às vezes, não ter essa crença. Mas nesse momento sei perfeitamente que não existe tal liberdade superior, a liberdade de *existir* que é a única que pode fundar uma verdade. A morte está ali como única realidade. Depois dela, a sorte está lançada. Já não sou livre para me perpetuar, sou escravo e, principalmente, escravo sem esperança de revolução eterna, sem o recurso do desprezo. E quem pode continuar sendo escravo sem revolução e sem desprezo? Que liberdade pode existir sem segurança de eternidade?

Mas, ao mesmo tempo, o homem absurdo compreende que estava ligado até aqui ao postulado de liberdade em cuja ilusão vivia. Em certo sentido, isto era uma trava. Na medida em que imaginava uma meta para sua vida, ele se conformava com as exigências da meta a ser atingida e se tornava escravo de sua liberdade. Assim, eu não poderia mais agir de outra maneira a não ser como o pai de família (ou como o engenheiro ou condutor de povos ou funcionário dos correios) que me preparo para ser. Creio que posso escolher ser isto em vez de outra coisa. Creio inconscientemente, é verdade. Mas sustento ao mesmo tempo meu postulado sobre as crenças daqueles que me cercam, os preconceitos do meu ambiente humano (os outros estão tão seguros de que são livres, e esse bom humor é tão contagioso!). Por mais que nos afastemos de todo preconceito, moral ou social, em parte sempre os conservamos e até, no caso dos melhores (pois há bons e maus preconceitos), adaptamos nossa vida a eles. Assim o homem absurdo compreende que não é realmente livre. Para falar claro, na medida em que tenho esperança, em que me preocupo por uma verdade que me seja própria, uma maneira de ser ou de acreditar, na medida, enfim, em que organizo minha vida e provo assim que admito que ela tem um sentido, crio barreiras entre as quais recluo minha vida. Faço como tantos funcionários do espírito e do coração que só me inspiram asco e não fazem outra coisa, agora vejo claro, senão levar a sério a liberdade do homem.

O absurdo me esclarece o seguinte ponto: não há amanhã. Esta é, a partir de então, a razão da minha liberdade profunda. Farei aqui duas comparações. Os místicos encontram primeiramente uma liberdade para se entregar. Abandonando-se aos seus deuses, aceitando suas regras, eles também se tornam secretamente livres. Na escravidão espontaneamente aceita, recuperam uma independência profunda. Mas o que significa essa liberdade? Podemos dizer em suma que eles se *sentem* livres em relação a si mesmos e, sobretudo, mais libertos do que livres. Da mesma forma, o homem absurdo, totalmente voltado para a morte (tomada aqui como a absurdidade mais evidente), sente-se desligado de tudo o que não é a atenção apaixonada que se cristaliza nele. Saboreia uma liberdade em relação às regras comuns. Vemos aqui que os temas básicos da filosofia existencial conservam todo o seu valor. O retorno à consciência, a evasão para fora do sono cotidiano representam os primeiros passos da liberdade absurda. Mas o que se visa é a *predicação* existencial e, com ela, o salto espiritual que no fundo escapa à consciência. Da mesma maneira (eis minha segunda comparação), os escravos da Antiguidade não se pertenciam. Mas conheciam a liberdade que consiste em não se sentirem responsáveis.* Também a morte tem mãos patrícias que esmagam porém libertam.

Mergulhar nessa certeza sem fundo, sentir-se suficientemente alheio à sua própria vida para acrescentá-la e percorrê-la sem a miopia do amante, aí está o princípio de uma libertação. Essa independência nova tem um prazo, como toda liberdade de ação. Não passa um cheque sobre a eternidade. Mas substitui as ilusões da *liberdade*, que se detinham todas na morte. A divina disponibilidade do condenado à morte diante do qual em certa madrugada as portas da prisão se abrem, esse incrível desinteresse por tudo, exceto pela chama pura da vida, a morte e o absurdo, são aqui, nota-se, os princípios da única liberdade razoável: aquela que um

---

* Trata-se aqui de uma comparação de fato, não de uma apologia da humildade. O homem absurdo é o contrário do homem reconciliado.

coração humano pode sentir e viver. Isto é uma segunda consequência. O homem absurdo vislumbra assim um universo ardente e gélido, transparente e limitado, no qual nada é possível mas tudo está dado, depois do qual só há o desmoronamento e o nada. Pode então decidir aceitar a vida em semelhante universo e dele extrair suas forças, sua recusa à esperança e o testemunho obstinado de uma vida sem consolo.

Mas o que significa a vida em semelhante universo? Por ora, apenas a indiferença pelo futuro e a paixão de esgotar tudo o que é dado. A crença no sentido da vida sempre supõe uma escala de valores, uma escolha, nossas preferências. A crença no absurdo, segundo nossas definições, ensina o contrário. Vale a pena que nos detenhamos neste ponto.

Tudo o que me interessa é saber se se pode viver sem apelo. Não quero sair deste terreno. Sendo-me dada esta face da vida, posso acomodar-me a ela? Ora, diante desta preocupação particular, a crença no absurdo equivale a substituir a qualidade das experiências pela quantidade. Se eu me convencer de que esta vida tem como única face a do absurdo, se eu sentir que todo o seu equilíbrio reside na perpétua oposição entre minha revolta consciente e a obscuridade em que a vida se debate, se eu admitir que minha liberdade só tem sentido em relação ao seu destino limitado, devo então reconhecer que o que importa não é viver melhor, e sim viver mais. Não tenho que me perguntar se isto é vulgar ou enjoativo, elegante ou lamentável. Os juízos de valor ficam descartados aqui, de uma vez por todas, em benefício dos juízos de fato. Só posso extrair conclusões do que posso ver e não arriscar nada que seja uma hipótese. Supondo que viver assim não fosse honesto, então a verdadeira honestidade me exigiria ser desonesto.

Viver mais; em sentido amplo, esta regra de vida não significa nada. É necessário precisá-la. Parece, primeiramente, que essa noção de quantidade não foi suficientemente aprofundada, pois ela pode dar conta de grande parte da experiência humana. A moral de um homem, sua escala de valores, só tem sentido pela quantidade e variedade de experiências que lhe foi dado acumular. Mas as condições da vida moderna impõem a mesma quantidade de experiências à maioria dos homens e portanto a mesma experiência profunda. Certamente, é preciso considerar a contribuição espontânea do indivíduo, o que nele é "dado". Mas não posso julgar isto, e mais uma vez minha regra é ater-me à evidência imediata. Vejo então que o caráter próprio de uma moral comum reside menos na importância ideal dos princípios que a animam do que na norma de uma experiência que é possível mensurar. Forçando um pouco as coisas, os gregos tinham a moral dos seus lazeres como nós temos a das nossas jornadas de oito horas. Mas muitos homens, entre eles os mais trágicos, já nos fazem pressentir que uma experiência mais longa altera esse quadro de valores. Eles nos fazem imaginar um aventureiro do cotidiano que, pela simples quantidade de experiências, bateria todos os recordes (emprego de propósito este termo esportivo) e ganharia assim sua própria moral.* Mas deixemos de lado o romantismo e perguntemos somente o que pode significar essa atitude para um homem decidido a manter sua aposta e a obedecer estritamente o que ele acha ser a regra do jogo.

---

* A quantidade às vezes determina a qualidade. Se acreditarmos nas últimas afirmações da teoria científica, toda matéria é constituída por centros de energia. Sua quantidade maior ou menor torna mais ou menos singular sua especificidade. Um bilhão de íons e um íon diferem não só na quantidade, mas também na qualidade. É fácil encontrar uma analogia na experiência humana.

Bater todos os recordes é, antes de mais nada e exclusivamente, estar diante do mundo com a maior frequência possível. Como fazer isto sem contradições e sem jogos de palavras? Porque o absurdo mostra, por um lado, que todas as experiências são indiferentes e, por outro, estimula à maior quantidade de experiências. Como não fazer então como tantos desses homens que mencionei antes, escolher a forma de vida que proporciona o máximo possível dessa matéria humana, introduzindo assim uma escala de valores que por outro lado pretendem rejeitar?

Mas o absurdo e sua vida contraditória também aqui nos ensinam. Porque o erro reside em pensar que a quantidade de experiências depende das circunstâncias da nossa vida, quando só depende de nós. Neste ponto temos que ser simplistas. O mundo proporciona sempre a mesma soma de experiências a dois homens que vivam o mesmo número de anos. Cabe a nós ter consciência disso. Sentir o máximo possível sua vida, sua revolta, sua liberdade, é viver o máximo possível. Onde reina a lucidez, a escala de valores torna-se inútil. Sejamos ainda mais simplistas. Digamos que o único obstáculo, o único "lucro cessante" é constituído pela morte prematura. O universo aqui sugerido vive somente por oposição a essa constante exceção que é a morte. Por isso nenhuma profundidade, nenhuma emoção, nenhuma paixão e nenhum sacrifício poderiam igualar, aos olhos do homem absurdo (mesmo que ele assim o desejasse), uma vida consciente de quarenta anos a uma lucidez que abarcasse sessenta.* A loucura e a morte são seus aspectos irremediáveis. O homem não escolhe. O absurdo e o acréscimo de vida que comporta *não dependem então da vontade do homem,* mas do seu contrário, que é a morte.** Medindo bem as palavras, trata-se apenas de uma questão de sorte. É preciso saber aceitá-la. Vinte anos de vida e de experiências nunca mais serão substituídos.

Por uma estranha inconsequência em raça tão sagaz, os gregos queriam que os homens que morriam jovens fossem os mais amados pelos deuses. E isto não é verdade a menos que se admita que entrar no mundo irrisório dos

---

* Mesma reflexão sobre uma noção tão diferente como a ideia do nada. Ela não acrescenta nem subtrai nada do real. Na experiência psicológica do nada, é ao considerar o que acontecerá dentro de dois mil anos que o nosso próprio nada adquire seu verdadeiro sentido. Num de seus aspectos, o nada é feito exatamente da soma de vidas por vir que não serão as nossas.

** A vontade é aqui apenas agente: tende a manter a consciência. Ela fornece uma disciplina de vida, isto é apreciável.

deuses é perder para sempre o mais puro dos prazeres, que é sentir e sentir-se nesta Terra. O presente e a sucessão de presentes diante de uma alma permanentemente consciente, eis o ideal do homem absurdo. Mas a palavra ideal tem aqui um som falso. Não é sequer sua vocação, é apenas a terceira consequência do seu raciocínio. Partindo de uma consciência angustiada do inumano, a reflexão sobre o absurdo retorna, no final de seu percurso, ao próprio seio das chamas apaixonadas da revolta humana.*

Extraio então do absurdo três consequências que são minha revolta, minha liberdade e minha paixão. Com o puro jogo da consciência, transformo em regra de vida o que era convite à morte — e rejeito o suicídio. Conheço sem dúvida a surda ressonância que percorre essas jornadas. Mas só tenho uma palavra a dizer: que

---

* O que importa é a coerência. Partimos aqui de uma aceitação do mundo. Mas o pensamento oriental ensina que se pode empreender o mesmo esforço lógico optando contra o mundo. Isto também é legítimo e dá a este ensaio sua perspectiva e seus limites. Mas quando a negação do mundo é exercida com o mesmo rigor, chega-se com frequência (em certas escolas vedantas) a resultados similares no que diz respeito, por exemplo, à indiferença pelas obras. Num livro de grande importância, *Le choix*, Jean Grenier fundamenta assim uma verdadeira "filosofia da indiferença".

ela é necessária. Quando Nietzsche escreve: "Parece claramente que o principal, no céu e na terra, é *obedecer* por longo tempo e na mesma direção: afinal daí resulta alguma coisa pela qual vale a pena viver nesta Terra, como por exemplo a virtude, a arte, a música, a dança, a razão, o espírito, alguma coisa que transfigura, algo refinado, louco ou divino", ele ilustra a regra dessa moral de grande porte. Mas mostra também o caminho do homem absurdo. Obedecer à chama é ao mesmo tempo o que há de mais fácil e de mais difícil. Convém no entanto que o homem, comparando-se com a dificuldade, vez por outra se julgue também. É o único que pode fazê-lo.

"A prece" — diz Alain — "é quando a noite cai sobre o pensamento." "Mas é preciso que o espírito torne a encontrar a noite", respondem os místicos e os existencialistas. Certo, mas não a noite que nasce diante de olhos fechados e por exclusiva vontade do homem — noite sombria e fechada que o espírito suscita para nela se perder. Se ele precisa encontrar uma noite, que seja aquela do desespero que permanece lúcido, noite polar, vigília do espírito, da qual se erguerá talvez a clareza branca e intacta que desenha cada objeto à luz da inteligência. Neste nível, a equivalência encontra a compreensão apaixonada. Nem pensar então em julgar o salto existencial.

Ele retoma o seu lugar no meio do afresco secular das atitudes humanas. Para o espectador, se ele for consciente, esse salto continua sendo absurdo. Na medida em que acredita resolver este paradoxo, acaba restaurando-o por inteiro. Neste sentido, é emocionante. Neste sentido, tudo retorna ao seu lugar e o mundo absurdo renasce em seu esplendor e sua diversidade.

Mas é ruim interromper, difícil contentar-se com uma única maneira de ver, privar-se da contradição, talvez a mais sutil de todas as formas espirituais. O que foi dito acima define apenas uma maneira de pensar. Agora, trata-se de viver.

O HOMEM ABSURDO

*Se Stavroguin acredita,
ele não acredita que acredita.
Se ele não acredita,
não acredita que não acredita.*

Dostoiévski, *Os possessos*

"Meu campo" — diz Goethe — "é o tempo." Eis propriamente o enunciado absurdo. O que é, de fato, o homem absurdo? Aquele que, sem negá-lo, nada faz pelo eterno. Não que a nostalgia lhe seja alheia. Mas prefere a ela sua coragem e seu raciocínio. A primeira lhe ensina a viver sem apelo e a satisfazer-se com o que tem, o segundo lhe ensina seus limites. Seguro de sua liberdade com prazo determinado, de sua revolta sem futuro e de sua consciência perecível, prossegue sua aventura no tempo de sua vida. Este é seu campo, lá está sua ação, que ele subtrai a todo juízo exceto o próprio. Uma vida maior não pode significar para ele uma outra vida. Seria desonesto. Nem mesmo falo aqui dessa eternidade ridícula que chamam de posteridade. Madame Roland era indiferente à posteridade.

Não se trata de dissertar sobre a moral. Tenho visto pessoas bem moralistas agindo errado e todos os dias comprovo que a honestidade não precisa de regras. O homem absurdo só pode admitir uma moral, aquela que não se separa de Deus: a que se dita. Mas ele vive justamente à margem desse Deus. Quanto às outras morais (incluo também o imoralismo), o homem absurdo não vê nelas senão justificativas, e não há nada a justificar. Aqui parto do princípio de sua inocência.

Tal inocência é temível. "Tudo é permitido", exclama Ivan Karamazov. Também isto cheira a absurdo, desde que não seja entendido de maneira vulgar. Não sei se ficou claro: não se trata de um grito de libertação e de alegria, mas de uma constatação amarga. A certeza de um Deus que daria seu sentido à vida ultrapassa em muito a atração do poder de fazer o mal impunemente. A escolha não seria difícil. Mas não há escolha e então começa a amargura. O absurdo não liberta, amarra. Não autoriza todos os atos. Tudo é permitido não significa que nada é proibido. O absurdo apenas dá um equivalente às consequências de seus atos. Não recomenda o crime, seria pueril, mas restitui sua inutilidade ao remorso. E também, se todas as experiências são indiferentes, a experiência do dever é tão legítima quanto qualquer outra. Pode-se ser virtuoso por capricho.

Todas as morais se fundamentam na ideia de que um ato tem consequências que o legitimam ou anulam.

Um espírito impregnado de absurdo somente julga que essas consequências devem ser consideradas com serenidade. Está disposto a pagar o preço. Em outras palavras: para ele, mesmo que possa haver responsáveis, não há culpados. No máximo concordará em usar a experiência passada para fundamentar seus atos futuros. O tempo fará viver o tempo e a vida servirá à vida. Nesse campo, ao mesmo tempo limitado e pleno de possibilidades, tudo em si mesmo lhe parece imprevisível, exceto a sua lucidez. Que regra se poderia extrair, então, dessa ordem irracionável? A única verdade que lhe pode parecer instrutiva não é nada formal: ela se abriga e se desenrola nos homens. Não são, então, regras éticas o que o espírito absurdo pode buscar ao fim do seu raciocínio, mas sim ilustrações e o sopro de vidas humanas. Os poucos esboços a seguir são deste tipo. Eles prosseguem o raciocínio absurdo dando-lhe sua atitude e seu calor.

Será preciso desenvolver a ideia de que um exemplo não é forçosamente um exemplo a ser seguido (menos ainda, se isto for possível, no mundo absurdo) e que estas ilustrações não são, portanto, modelos? Além de exigir vocação, seria ridículo, guardando as proporções, deduzir de Rousseau que se deve andar de quatro e de Nietzsche que convém maltratar a própria mãe. "É preciso ser absurdo", escreve um autor moderno, "não é preciso ser tolo." As atitudes de que falaremos só adquirem seu sentido quando são considerados seus contrários. Um funcionário dos correios é igual a um conquistador se a consciência lhes for comum. Todas as experiências são indiferentes a esse respeito. Há as que ajudam e as que prejudicam o homem. Ajudam se ele for consciente. Do contrário, não tem importância: as derrotas de um homem não julgam as circunstâncias, mas a ele mesmo.

Só escolho homens que aspiram a se esgotar ou dos quais tenho consciência, por eles, de que se esgotam. Isto não chega muito longe. Por ora só quero falar de um mundo em que tanto os pensamentos como as vidas são privados de futuro. Tudo o que faz o homem trabalhar e se agitar utiliza a esperança. O único pensamento não enganoso é, então, um pensamento estéril. No mundo absurdo, o valor de uma noção ou de uma vida se mede por sua infecundidade.

O dom-juanismo

2

Se amar bastasse, as coisas seriam simples. Quanto mais se ama, mais se consolida o absurdo. Don Juan não vai de mulher em mulher por falta de amor. É ridículo representá-lo como um iluminado em busca do amor total. Mas é justamente porque as ama com idêntico arroubo, e sempre com todo o seu ser, que precisa repetir essa doação e esse aprofundamento. Por isso, cada uma delas espera lhe oferecer o que ninguém nunca lhe deu. Em todas as vezes elas se enganam profundamente e sóconseguem fazê-lo sentir necessidade dessa repetição. "Por fim", exclama uma delas, "te dei o amor." Não surpreende que Don Juan ria dela: "Por fim? Não" — diz ele —, "outra vez." Por que seria preciso amar raramente para amar muito?

Don Juan está triste? Não é verossímil. Quase não vou apelar para a crônica. Esse riso, a insolência vitoriosa, os pulos e o gosto pelo teatro são coisas claras e alegres.

Todo ser saudável tende a se multiplicar. Don Juan também. Mas, além do mais, os tristes têm duas razões para estar tristes, eles ignoram ou eles têm esperança. Don Juan sabe e não tem esperança. Faz lembrar esses artistas que conhecem seus limites, nunca os ultrapassam e, no intervalo precário onde seu espírito se instala, possuem a maravilhosa facilidade dos mestres. E está justamente aí o gênio: a inteligência que conhece suas fronteiras. Até a fronteira da morte física, Don Juan ignora a tristeza. A partir do momento em que sabe, seu riso explode e consegue que tudo lhe seja perdoado. Foi triste no tempo em que esperou. Hoje, na boca dessa mulher, torna a encontrar o sabor amargo e reconfortante da ciência única. Amargo? Quase: essa necessária imperfeição que torna perceptível a felicidade!

É um grande engano pretender ver em Don Juan um homem que se nutre do Eclesiastes. Porque, para ele, a única vaidade é a esperança de outra vida. Ele o prova, porque aposta contra o próprio céu. O lamento do desejo perdido no deleite, esse lugar-comum da impotência, não lhe pertence. Isto funciona para Fausto, que acreditou suficientemente em Deus para se vender ao diabo. O "Trapaceiro" de Tirso de Molina responde sempre às ameaças do inferno: "Que prazo grande você me dá!"

O que vem depois da morte é fútil, e que longa série de dias para quem sabe que está vivo! Fausto exigia os bens deste mundo: o infeliz só precisava estender a mão. Já era vender sua alma o fato de não saber desfrutar dela. Don Juan, pelo contrário, busca a saciedade. Se abandona uma bela mulher não é de maneira alguma porque não a deseje mais. Uma bela mulher sempre é desejável. Mas acontece que, nela, deseja outra, o que não é a mesma coisa.

Esta vida o completa, não há nada pior que perdê-la. Esse louco é um grande sábio. Mas os homens que vivem de esperança se sentem pouco à vontade nesse universo onde a bondade cede seu lugar à generosidade, a ternura ao silêncio viril, a comunhão à coragem solitária. E todos dizem: "Era um fraco, um idealista ou um santo." É preciso rebaixar a grandeza que insulta.

O discurso de Don Juan provoca bastante indignação (ou a risada cúmplice que degrada aquilo que admira), assim como aquela frase que serve para todas as mulheres. Mas, para quem busca a quantidade de prazeres, só interessa a eficácia. Para que complicar as fórmulas que funcionaram bem? Ninguém, a mulher ou homem, as ouve, só ouvem a voz que as pronuncia. São a regra, a convenção e a cortesia. Elas são ditas, e depois o mais importante ainda falta fazer. Don Juan já se prepara para isso. Por que teria um problema moral? Não é condenado por desejo de ser santo, como o Mañara de Milosz. O inferno para ele é coisa provocada. Só há uma resposta para a cólera divina: a honra humana: "Sou um homem honrado", diz ele para o Comendador, "e cumpro minha promessa porque sou um cavalheiro." Mas seria um erro igualmente grande considerá-lo um imoralista. Neste sentido, ele é "como todo mundo": tem a moral de sua simpatia ou sua antipatia. Para entender bem Don Juan, é preciso referir-nos sempre ao que ele simboliza vulgarmente: o sedutor comum e o mulherengo. Ele é um sedutor comum.* Com uma diferença: é consciente, e portanto é absurdo. Um sedutor que adquiriu lucidez não mudará por isso. Seduzir é sua condição. Somente nos romances as pessoas mudam de condição ou se tornam melhores. Mas pode-se dizer que ao mesmo tempo nada mudou e tudo se transformou. O que Don Juan põe em prática é uma ética da quantidade, ao contrário do santo, que tende à qualidade. A característica do homem absurdo é não acreditar no sentido profundo das coisas. Ele percorre,

---

* No sentido pleno e com seus defeitos. Uma atitude saudável inclui também defeitos.

armazena e queima os rostos calorosos ou maravilhados. O tempo caminha com ele. O homem absurdo é aquele que não se separa do tempo. Don Juan não pensa em "colecionar" mulheres. Esgota seu número e, com elas, suas possibilidades de vida. Colecionar é ser capaz de viver do passado. Mas ele rejeita a nostalgia, essa outra maneira da esperança. Não sabe contemplar os retratos.

Será por isso egoísta? À sua maneira, sem dúvida. Mas, também aqui, precisamos nos entender bem. Há gente que é feita para viver e gente que é feita para amar. Don Juan, ao menos, diria isto de bom grado. Mas para escolher precisaria de um atalho. Porque o amor de que ele fala é aqui adornado com as ilusões do eterno. Todos os especialistas em paixão nos ensinam isso, não há amor eterno a não ser o contrariado. Não existe paixão sem luta. Um amor assim só termina com a última contradição, que é a morte. Você tem que ser Werther, ou nada. Aí também há várias maneiras de suicidar-se, uma das quais é a doação total e o esquecimento da própria pessoa. Don Juan, como qualquer um, sabe que isso pode ser emocionante. Mas ele é dos poucos a saber que não é o mais importante. Sabe muito bem: aqueles que são afastados de toda a vida pessoal por um grande amor talvez se enriqueçam, mas certamente empobrecem os escolhidos pelo seu amor. Uma mãe, uma mulher apaixonada têm necessariamente o coração seco, porque afastado do mundo. Um único sentimento, um único ser, um único rosto, mas tudo acaba devorado. É outro amor o que faz Don Juan estremecer, e este é libertador. Traz consigo todos os rostos do mundo e seu tremor provém de saber-se perecível. Don Juan escolheu não ser nada.

Para ele, a questão é ver claro. Só chamamos de amor o que nos une a certos seres por influência de um ponto de vista coletivo gerado nos livros e nas lendas. Mas do amor só conheço a mistura de desejo, ternura e entendimento que me liga a determinado ser. Tal composto não é o mesmo em relação a outro. Não tenho o direito de revestir todas essas experiências com o mesmo nome. Isto dispensa de realizá-las com os mesmos gestos. Também aqui o homem absurdo multiplica o que não pode unificar. Assim, descobre uma nova maneira de ser que o libera tanto quanto libera o próximo. Não há amor generoso senão aquele que se sabe ao mesmo tempo passageiro e singular. São todas essas mortes e esses renascimentos que constituem para Don Juan o eixo de sua vida. É a maneira que ele tem de dar e de fazer viver. Será que se pode falar de egoísmo?

*

Penso agora em todos os que desejam um castigo para Don Juan seja como for. Não apenas na outra vida, mas também nesta. Penso em todas as histórias, lendas e brincadeiras sobre Don Juan envelhecido. Mas Don Juan está preparado para isso. Para um homem consciente, a velhice e o que esta pressagia não são nenhuma surpresa. Ele é consciente dela na medida em que não oculta de si mesmo o seu horror. Em Atenas havia um templo consagrado à velhice, aonde levavam as crianças. No caso de Don Juan, quanto mais se ri dele, mais se destaca sua figura. Ele recusa, assim, a imagem que os românticos lhe atribuíram. Ninguém quer rir desse Don Juan atormentado e lastimável. Têm compaixão dele, será que o próprio céu o redimirá? Mas não se trata disso. No universo que Don Juan vislumbra, o ridículo *também* está incluído. Ser punido lhe parece normal. É a regra do jogo. E sua generosidade consiste, justamente, em ter aceito inteiramente a regra do jogo. Mas ele sabe que tem razão e que não pode tratar-se de castigo. Um destino não é uma punição.

Este é o seu crime, e se entende que os homens do eterno exijam um castigo. Don Juan chegou a uma ciência sem ilusões que nega tudo o que eles professam. Amar e possuir, conquistar e esgotar, eis sua maneira de conhecer. (Tem sentido esta escolha das Escrituras, que chamam de "conhecer" o ato do amor.) Na medida em que ignora, é pior inimigo deles. Um cronista informa que o verdadeiro "Trapaceiro" morreu assassinado por franciscanos que quiseram "dar fim aos excessos e impiedades de Don Juan, cujo nascimento garantia a sua impunidade". E depois proclamaram que o céu o tinha fulminado. Ninguém provou esse estranho fim. Ninguém tampouco demonstrou o contrário. Mas mesmo sem questionar se isso é verossímil, posso dizer que é lógico. Quero grifar aqui o termo "nascimento" e jogar com as palavras: o que garantia a sua inocência era viver. Só na morte ele adquiriu uma culpa, agora lendária.

Que outra coisa significa o Comendador de pedra, essa fria estátua animada para castigar o sangue e a coragem que ousaram pensar? Nele se resumem todos os poderes da Razão eterna, da ordem, da moral universal, toda a grandeza externa de um Deus acessível à cólera. Essa pedra gigantesca e sem alma simboliza apenas os poderes que Don Juan sempre negou. Mas a missão do Comendador para aí. O raio e o trovão podem voltar ao céu fictício de onde foram chamados. A verdadeira tragédia se desenrola à margem deles. Não, Don Juan não morreu sob uma mão de pedra. Prefiro acreditar na bravata lendária, na risada insensata do homem sadio provocando um deus que não existe. Mas acredito, principalmente, que na noite em que Don Juan estava esperando na casa de Ana, o Comendador não apareceu e o ímpio deve ter sentido, depois de meia-noite, a terrível amargura daqueles que tiveram razão. Aceito ainda melhor o relato de sua vida que o mostra, ao final, encerrado num convento. Não é que se possa considerar verossímil o lado edificante da história. Que refúgio pedir a Deus? Mas isto representa antes a culminação lógica de uma vida totalmente impregnada de absurdo, o desenlace feroz de uma existência dedicada a alegrias sem futuro. O gozo termina aqui em ascese. É preciso entender que ambos podem ser as duas faces do mesmo desenlace. Que imagem mais assustadora desejar: a de um homem a quem seu corpo trai e que, por não ter morrido a tempo, consuma a comédia esperando o fim, cara a cara com o deus que não adora, servindo-o como serviu a vida, ajoelhado diante do vazio com os braços estendidos para um céu sem eloquência e, como ele sabe, também sem profundidade.

Vejo Don Juan numa cela daqueles monastérios espanhóis perdidos numa colina. Se ele olha para alguma coisa, não é para os fantasmas dos amores passados, mas, talvez por uma seteira ardente, para alguma planície silenciosa da Espanha, terra magnífica e sem alma onde se reconhece. Sim, é preciso fazer um alto diante dessa imagem melancólica e radiante. O fim último, esperado mas nunca desejado, o fim último é desprezível.

A comédia

3

"O espetáculo" — diz Hamlet — "é a armadilha com que vou capturar a consciência do rei." Capturar é a expressão adequada. Pois a consciência anda rápido ou recua. É preciso pegá-la no voo, no momento inapreciável em que lança um olhar fugidio sobre si mesma. O homem cotidiano não gosta de demorar. Pelo contrário, tudo o apressa. Ao mesmo tempo, porém, nada lhe interessa além de si mesmo, principalmente aquilo que poderia ser. Daí seu gosto pelo teatro, pelo espetáculo, onde lhe são propostos tantos destinos que lhe oferecem a poesia sem lhe impor sua amargura. Nisto, ao menos, reconhecemos o homem inconsciente, e ele continua apressado atrás de uma esperança qualquer. O homem absurdo começa onde este termina, no ponto em que, deixando de apressar o jogo, o espírito quer entrar nele. Penetrar em todas essas vidas, experimentá-las em sua diversidade é propriamente representá-las. Não digo que os atores em geral obedeçam a tal chamada, que sejam homens absurdos, mas sim que seu destino é um destino absurdo que poderia seduzir e atrair um coração clarividente. É preciso deixar isto bem claro para entender sem erros o que vem a seguir.

O ator reina no perecível. Todos sabem que, de todas as glórias, a dele é a mais efêmera. Pelo menos é o que se diz. Mas todas as glórias são efêmeras. Do ponto de vista de Sirius, dentro de dez mil anos as obras de Goethe terão se transformado em pó e seu nome estará esquecido. Talvez alguns arqueólogos busquem "testemunhos" da nossa época. Tal ideia sempre foi instrutiva. Bem meditada, reduz nossas agitações à nobreza profunda que encontramos na indiferença. Atrai, sobretudo, nossas preocupações para o mais certo, quer dizer, para o imediato. De todas as glórias, a menos enganosa é a que se vive.

O ator escolheu, então, a glória inumerável, aquela que se consagra e se experimenta. Ele é quem tira a melhor conclusão do fato de que tudo há de morrer um dia. Um ator consegue ou não consegue. Um escritor conserva a esperança, mesmo que seja desconhecido. Supõe que suas obras darão testemunho do que ele foi. O ator nos deixará no máximo uma fotografia, e nada do que era, seus gestos e silêncios, sua respiração curta ou seu hálito amoroso, chegará até nós. Para ele, não ser conhecido é não representar e não representar é morrer cem vezes, com todos os seres que teria animado ou ressuscitado.

O que há de surpreendente em ver uma glória perecível construída sobre as mais efêmeras criações? O ator dispõe de três horas para ser Iago ou Alceste, Fedra ou Gloucester. Nesse breve período, ele os faz nascer e morrer em cinquenta metros quadrados de tábuas. Nunca o absurdo foi tão bem ilustrado, nem por tanto tempo. Que síntese mais reveladora poderíamos desejar senão essas vidas maravilhosas, esses destinos únicos e completos que se cruzam e terminam entre umas paredes e durante algumas horas? Fora do palco, Segismundo não é mais nada. Duas horas depois o vemos jantando num restaurante. Talvez, então, a vida seja mesmo um sonho. Mas depois de Segismundo vem outro. O herói que sofre de incertezas substitui o homem que ruge depois de sua vingança. Percorrendo assim os séculos e os espíritos, imitando o homem tal como pode ser e tal como é, o ator se junta a esse outro personagem absurdo que é o viajante. Como ele, esgota alguma coisa e continua seu percurso. Ele é o viajante do tempo e, no caso dos melhores, o viajante acossado das almas. Se a moral da quantidade pudesse encontrar alguma vez um alimento, por certo seria nessa cena singular. É difícil dizer em que medida o ator se beneficia desses personagens. Mas o importante não é isso. Trata-se apenas de saber até que ponto se identifica com essas vidas insubstituíveis. Muitas vezes, de fato, ele os transporta consigo, ultrapassando ligeiramente o tempo e o espaço onde nasceram. Eles acompanham o ator, que não se separa facilmente do que foi. Às vezes, para pegar um copo, ele repete o gesto de Hamlet erguendo sua taça. Não, não é tão grande a distância que o separa dos seres a que deu vida. E então ele ilustra com abundância, todos os meses e todos os dias, esta verdade fecunda: não há fronteira entre o que um homem quer ser e aquilo que é. E o que ele demonstra, sempre ocupado em figurar melhor, é até que ponto o parecer faz o ser. Pois sua arte é isto, fingir totalmente, entrar o mais fundo possível em vidas que não são as dele. Ao cabo desse esforço fica clara sua vocação: aplicar-se de corpo e alma a não ser nada ou a ser muitos. Quanto mais estreito for o limite que lhe é dado para criar seu personagem, mais necessário é seu talento. Ele vai morrer dentro de três horas com o rosto que tem hoje. Precisa sentir e expressar em três horas todo um destino excepcional. Isto se chama perder-se para tornar a se encontrar. Nessas três horas, ele vai até o fim do caminho sem saída que o homem da plateia leva toda a sua vida para percorrer.

O ator, mímico do perecível, só treina e se aperfeiçoa na aparência. A convenção do teatro é que o coração só se expressa e se faz entender pelos gestos e com o corpo — ou pela voz, que é tanto da alma quanto do corpo. A lei dessa arte quer que tudo cresça e se traduza em carne. Se fosse preciso amar em cena como se ama, usar a insubstituível voz do coração, olhar como se admira, então nossa linguagem seria cifrada. Aqui os silêncios precisam se fazer ouvir. O amor levanta o tom e a própria imobilidade torna-se espetacular. O corpo é rei. Não é "teatral" quem quer ser, e esta palavra, injustificadamente desacreditada, recobre toda uma estética e toda uma moral. A metade da vida de um homem é passada em subentendidos, olhando para o outro lado e se calando. O ator é aqui o intruso. Quebra o sortilégio dessa alma acorrentada e as paixões por fim se precipitam em sua cena. Elas falam em todos os gestos, vivem aos gritos. Assim, o ator compõe seus personagens para se exibir. Ele os desenha ou esculpe, introduzindo-se na sua forma imaginária e dando o próprio sangue aos seus fantasmas. Estou falando do grande teatro, é claro, aquele que permite ao ator cumprir seu destino totalmente físico. Vejam Shakespeare. Nesse teatro do primeiro movimento, são os furores do corpo que estão com a batuta. Explicam tudo. Sem eles, tudo se derrubaria. O rei Lear jamais iria ao encontro marcado com a loucura sem o gesto brutal que manda Cordélia para o exílio e condena Edgar. É justo, então, que essa tragédia se desenrole sob o signo da demência. As almas estão entregues aos demônios e a sua sarabanda. Nada menos que quatro loucos, um por ofício, outro por vontade, os dois últimos por tormento: quatro corpos desordenados, quatro faces indizíveis de uma mesma condição.

A própria escala do corpo humano é insuficiente. A máscara e os coturnos, a maquiagem que reduz e acentua os elementos essenciais do rosto, a vestimenta que exagera e simplifica, esse universo sacrifica tudo pela aparência e foi feito só para os olhos. Por um milagre absurdo, ainda é o corpo que fornece o conhecimento. Eu nunca entenderia tão bem Iago quanto se o interpretasse. Por mais que o ouça, só o capto no momento em que o vejo. Do personagem absurdo, o ator tem depois a monotonia, aquela silhueta única, obcecada, ao mesmo tempo estranha e familiar, que percorre todos os seus heróis. Também aqui a grande obra teatral serve a essa unidade de tom.* E nisto o ator se contradiz: o mesmo e entretanto tão diferente, tantas almas resumidas num único corpo. Mas a contradição é absurda em si mesma, com esse indivíduo que quer obter tudo e viver tudo, essa tentativa malograda, essa teimosia sem alcance. Mas aquilo que está sempre em contradição acaba se unindo nele. Que está no ponto exato em que o corpo e o espírito se encontram e se abraçam, e o segundo, cansado dos seus fracassos, volta-se para o seu mais fiel aliado. "Abençoados sejam aqueles" — diz Hamlet — "cujo sangue e juízo estão tão curiosamente misturados, que não são como a flauta, onde o dedo da fortuna faz soar o orifício que lhe aprouver."

Como a Igreja não iria condenar tal exercício no ator? Ela repudiava nessa arte a multiplicação herética das

---

* Penso aqui no Alceste de Molière. Tudo é muito simples, muito evidente e muito grosseiro. Alceste contra Filinto, Celimena contra Elianto, toda a questão está na absurda consequência de um personagem empurrado para seu final, e o próprio verso, o "verso ruim", apenas escandido como a monotonia do personagem.

almas, a orgia de emoções, a pretensão escandalosa de um espírito que se nega a viver um destino único e se atira em todas as intemperanças. Condenava neles um gosto pelo presente e um triunfo de Proteu que são a negação de tudo o que ela ensina. A eternidade não é um jogo. Um espírito insensato o suficiente para trocá-la por uma comédia perdeu sua salvação. Entre "em toda parte" e "sempre" não há compromisso. Por isso este ofício tão desprezado pode dar lugar a um conflito espiritual desmedido. "O que importa", diz Nietzsche, "não é a vida eterna, e sim a eterna vivacidade." O drama todo está, de fato, nesta escolha.

Adrienne Lecouvreur, no seu leito de morte, quis confessar e comungar, mas se negou a abjurar de sua profissão. Perdeu assim o benefício da confissão. Realmente, o que foi isso senão tomar partido, contra Deus, de sua paixão profunda? Essa mulher agonizante que se negava, entre lágrimas, a renegar o que chamava de sua arte demonstrava uma grandeza que, no palco, nunca teve. Foi o seu papel mais belo e o mais difícil de interpretar. Escolher entre o céu e uma fidelidade ridícula, preferir-se à eternidade ou mergulhar em Deus, eis a tragédia secular onde é preciso encontrar um lugar.

Os comediantes da época se consideravam excomungados. Entrar na profissão era escolher o Inferno. E a Igreja via neles seus piores inimigos. Alguns literatos se indignam: "Como negar a Molière os últimos socorros!" Mas isso era correto, sobretudo para ele, que morreu em cena e acabou sob a maquiagem uma vida inteira dedicada à dispersão. Em relação a ele, costuma-se invocar o gênio que tudo desculpa. Mas o gênio não desculpa nada, justamente porque se nega a fazê-lo.

O ator sabia então qual punição lhe estava prometida. Mas que sentido podiam ter ameaças tão vagas em comparação com o castigo último que a própria vida lhe reservava? Era esse castigo que ele sentia com antecedência e aceitava por inteiro. Para o ator, tanto quanto para o homem absurdo, uma morte prematura é irreparável. Nada pode compensar a soma de rostos e séculos que, sem ela, teria percorrido. Mas, de toda maneira, trata-se de morrer. Pois o ator está em toda parte, sem dúvida, porém o tempo também o arrasta e exerce sobre ele seu efeito.

Basta, então, um pouco de imaginação para perceber o que significa um destino de ator. Um ator compõe e enumera no tempo seus personagens. E também no tempo aprende a dominá-los. Quanto mais vidas diferentes ele viveu, com mais facilidade se separa delas. Chega a hora em que tem que morrer em cena e no mundo. O que viveu está à sua frente. Ele vê com clareza. Sente o que essa aventura tem de dilacerante e de insubstituível. Sabe disso e agora pode morrer. Há asilos para velhos comediantes.

A conquista

4

"Não" — diz o conquistador —, "não pensem que pelo fato de amar a ação precisei desaprender a pensar. Ao contrário, posso perfeitamente definir no que acredito. Pois acredito nisso com intensidade e o vejo com uma visão segura e clara." Desconfiem daqueles que dizem: "Conheço isso bem demais para poder expressá-lo." Porque, se não podem, é porque não conhecem ou, por preguiça, não passaram da casca.

Não tenho muitas opiniões. No fim da vida, o homem percebe que passou anos confirmando uma única verdade. Mas só uma, se é evidente, basta para guiar uma existência. Por meu lado, tenho decididamente alguma coisa a dizer sobre o indivíduo. Deve-se falar dele com rudeza e, se for preciso, com o desprezo conveniente.

Um homem é mais homem pelas coisas que silencia do que pelas que diz. Vou silenciar muitas. Mas acredito firmemente que todos aqueles que julgaram o indivíduo o fizeram com bem menos experiência do que nós para fundamentar seu juízo. A inteligência, a emocionante inteligência, talvez tenha pressentido o que era preciso constatar. Mas nossa época, suas ruínas e seu sangue nos enchem de evidências. Os povos antigos, e mesmo os mais recentes até a nossa era das máquinas, podiam comparar as virtudes da sociedade com as do indivíduo, descobrir qual deles devia servir ao outro. Isto era possível, primeiramente, em função de uma aberração tenaz no coração do homem segundo a qual os seres foram postos no mundo para servir ou para serem servidos. Isto ainda era possível porque nem a sociedade nem o indivíduo haviam mostrado até então todas as suas capacidades.

Vi pessoas inteligentes se maravilharem com obras-primas dos pintores holandeses nascidos em meio às guerras sangrentas de Flandres e se comoverem com as orações dos místicos silesianos no seio da horrível Guerra dos Trinta Anos. Os valores eternos flutuam, ante seus olhos assombrados, acima dos tumultos seculares. Mas o tempo passou desde essa época. Os pintores de hoje carecem de tal serenidade. Mesmo que no fundo tenham o coração que um criador precisa ter, isto é, um coração árido, de nada lhes serve, pois todo mundo, até mesmo o próprio santo, está mobilizado. Foi o que senti, talvez, mais profundamente. A cada forma abortada nas trincheiras, a cada traço, metáfora ou prece, esmagado pelo ferro, o eterno perde uma partida. Consciente de não poder me separar do meu tempo, decidi me incorporar a ele. Por isso, se dou tanta importância ao indivíduo é porque ele me parece ridículo e humilhado. Sabendo que não há causas vitoriosas, gosto das causas perdidas: elas exigem uma alma inteira, tanto na derrota quanto nas vitórias passageiras. Para quem se sente solidário ao destino deste mundo, o choque de civilizações tem qualquer coisa de angustiante. Assumi essa angústia ao mesmo tempo que quis entrar no jogo. Entre a história e o eterno, escolhi a história porque amo as certezas. Dela, ao menos, tenho certeza, e como negar essa força que me esmaga?

Sempre chega o momento em que é preciso escolher entre a contemplação e a ação. Isto se chama tornar-se homem. Tais dilaceramentos são terríveis. Mas para um coração orgulhoso não há meio-termo. Há Deus ou o tempo, a cruz ou a espada. Ou este mundo tem um sentido mais elevado que ultrapassa suas agitações, ou somente essas agitações são verdadeiras. É preciso viver com o tempo e morrer com ele, ou fugir dele para uma vida maior. Sei que se pode transigir e que se pode viver no século e acreditar no eterno. Isto se chama aceitar.

Mas este termo me repugna e quero tudo ou nada. Se escolho a ação, não pensem que a contemplação seja para mim uma terra desconhecida. Mas ela não pode me dar tudo e, privado do eterno, quero me aliar ao tempo. Não quero pôr na minha conta a nostalgia nem a amargura, só quero ver com clareza. Eu lhe digo, amanhã você será mobilizado. Para você e para mim, isto é uma libertação. O indivíduo nada pode e no entanto pode tudo. Com esta maravilhosa disponibilidade, vocês entendem por que o exalto e arraso ao mesmo tempo. O mundo o tritura e eu o liberto. Eu lhe proporciono todos os seus direitos.

Os conquistadores sabem que a ação é inútil em si mesma. Só há uma ação útil, aquela que recriaria o homem e a Terra. Eu jamais recriarei os homens. Mas é preciso pensar "como se". Pois o caminho da luta me faz encontrar a carne. Mesmo humilhada, a carne é minha única certeza. Só posso viver dela. A criatura é minha pátria. Por isso escolhi este esforço absurdo e sem alcance. Por isso estou do lado da luta. Nossa época se presta a isto, já disse. Até agora, a grandeza de um conquistador era geográfica. Ela se media pela extensão dos territórios vencidos. Não é por acaso que a palavra mudou de sentido e não designa mais o general vencedor.

A grandeza trocou de campo. Ela está no protesto e no sacrifício sem futuro. E também aqui, não por causa do gosto da derrota, a vitória seria desejável. Mas só há uma vitória e ela é eterna. É aquela que nunca conseguirei. Eis onde tropeço e fico pendurado. Uma revolução é sempre contra os deuses, a começar pela de Prometeu, o primeiro dos conquistadores modernos. Trata-se de uma reivindicação do homem contra o seu destino: a reivindicação do pobre é apenas um pretexto. Mas só posso captar esse espírito em seu ato histórico, e é aí que me junto a ele. Não pensem, porém, que isto me agrada: diante da contradição essencial, sustento minha humana contradição. Instalo minha lucidez no meio daquilo que a nega. Exalto o homem diante do que o esmaga, e minha liberdade, minha rebeldia e minha paixão se unem nessa tensão, nessa clarividência e nessa repetição desmedida.

Sim, o homem é seu próprio fim. E seu único fim. Se ele quer ser outra coisa, é nesta vida. Agora sei muito bem disso. Os conquistadores falam às vezes de vencer e de superar. Mas sempre querem dizer "superar-se". Vocês sabem perfeitamente o que isto significa. Todo homem sentiu-se em certos momentos igual a um deus. Ao menos é o que dizem. Mas isto acontece por ter sentido, num clarão, a surpreendente grandeza do espírito humano. Os conquistadores são simplesmente aqueles que sentem a própria força o bastante para terem certeza de viver constantemente em tais alturas e com plena consciência dessa grandeza. É uma questão de aritmética, de mais ou de menos. Os conquistadores podem mais. Mas não podem mais do que o próprio homem, quando ele quer. Por isso nunca abandonam o crisol humano, mergulhando no mais ardente da alma das revoluções.

Lá encontram a criatura mutilada, mas também encontram os únicos valores que amam e admiram, o homem e seu silêncio. É ao mesmo tempo sua indigência e sua riqueza. Só há um luxo para eles, o das relações humanas. Como não entender que, nesse universo vulnerável, tudo o que é humano e apenas humano adquire um sentido mais ardente? Rostos tensos, fraternidade ameaçada, amizade tão forte e tão pudica dos homens entre si, estas são as verdadeiras riquezas, porque são perecíveis. No meio delas o espírito capta melhor seus poderes e seus limites. Quer dizer, sua eficácia. Alguns falaram de gênio. Mas, não posso negar, prefiro a inteligência ao gênio. É preciso dizer que ela pode ser magnífica, porque ilumina esse deserto e o domina. Conhece suas servidões e as ilustra. E morrerá ao mesmo tempo que esse corpo. Mas saber disto, eis sua liberdade.

Não o ignoramos, todas as Igrejas estão contra nós. Um coração tão tenso foge do eterno, e todas as Igrejas, divinas ou políticas, pretendem o eterno. A felicidade e a coragem, o salário e a justiça são para elas fins secundários. Trazem uma doutrina e é preciso se filiar a ela. Mas eu nada tenho a ver com as ideias ou com o eterno. Posso tocar com a mão as verdades que são à minha medida. Não posso me separar delas. Por isso vocês não podem basear coisa alguma em mim: do conquistador nada perdura, nem mesmo suas doutrinas.

No fim de tudo isso, apesar de tudo, está a morte. Nós o sabemos. Também sabemos que ela termina com tudo. Por isso são horríveis os cemitérios que cobrem a Europa e que obcecam alguns entre nós. Só se embeleza o que se ama, e a morte nos repugna e nos cansa. Também ela deve ser conquistada. O último dos Carrara, prisioneiro numa Pádua esvaziada pela peste, sitiada pelos venezianos, percorria aos gritos as salas do seu palácio deserto: chamava o diabo e lhe pedia a morte. Era uma maneira de superá-la. E também é uma demonstração da coragem própria do Ocidente ter tornado tão horríveis os lugares onde a morte se supõe homenageada. No universo do rebelde, a morte exalta a injustiça. Ela é o abuso supremo.

Outros, também sem transigir, escolheram o eterno e denunciaram a ilusão deste mundo. Seus cemitérios sorriem povoados por flores e pássaros. Isto convém ao conquistador e lhe dá a imagem clara do que rejeitou. Ele, pelo contrário, escolheu o cercado de ferro negro ou a fossa anônima. Os melhores entre os homens do eterno sentem-se às vezes tomados por um espanto cheio de consideração e piedade pelos espíritos que podem viver com tal imagem de sua própria morte. Esses espíritos, no entanto, extraem disso a sua força e a sua justificativa. Nosso destino está à nossa frente e é a ele que desafiamos. Menos por orgulho que por consciência da nossa condição insignificante. Também temos às vezes piedade de nós mesmos. É a única compaixão que nos parece aceitável: um sentimento que talvez vocês não compreendam e que lhes parece pouco viril. No entanto, são os mais corajosos entre nós que o experimentam. Mas chamamos de viris os lúcidos e não queremos uma força que se separe da clarividência.

Uma vez mais, o que estas imagens propõem não são morais, nem tampouco implicam juízos: são ilustrações. Simbolizam apenas um estilo de vida. O amante, o comediante ou o aventureiro representam o absurdo.

Mas também, se quiserem, o casto, o funcionário ou o presidente da república. Basta saber e não encobrir nada. Nos museus italianos vemos às vezes as pequenas telas pintadas que o sacerdote mantinha diante dos rostos dos condenados para ocultar deles o cadafalso. O salto sob todas as suas formas, a precipitação no divino ou no eterno, o abandono às ilusões do cotidiano ou da ideia, todas essas telas ocultam o absurdo. Mas há funcionários sem tela e é deles que quero falar.

Escolhi os mais extremos. Nesse nível, o absurdo lhes confere um poder real. É verdade que tais príncipes não têm reino. Mas têm sobre os outros a vantagem de saber que todas as realezas são ilusórias. Sabem, eis sua grandeza, e sobre eles é inútil falar de infelicidade oculta ou de cinzas da desilusão. Carecer de esperança não equivale a se desesperar. As chamas da Terra valem tanto quanto os perfumes celestes. Nem eu nem ninguém podemos julgá-los aqui. Eles não tentam ser melhores, tentam ser consequentes. Se a palavra sábio se aplica ao homem que vive do que tem sem especular sobre o que não tem, então estes são os sábios. Um deles, conquistador, mas do espírito; Don Juan, mas do conhecimento; comediante, mas da inteligência, sabe disso melhor do que ninguém: "Não merece qualquer privilégio na Terra ou no céu aquele que levou à perfeição a doce e pequena mansidão de cordeiro: nem por isso deixa de ser, no melhor dos casos, um querido carneirinho ridículo com chifres e mais nada — admitindo-se que não estoure de vaidade e não provoque um escândalo com suas atitudes de juiz."

Em todo caso, seria preciso restituir rostos mais calorosos ao raciocínio absurdo. A imaginação pode acrescentar muitos outros, ancorados no tempo e no exílio, que também sabem viver à medida de um universo sem futuro e sem fraqueza. Este mundo absurdo e sem deus é povoado então por homens que pensam com clareza e não esperam nada. E ainda não falei do mais absurdo dos personagens, que é o criador.

A CRIAÇÃO ABSURDA

Filosofia e romance

1

Todas essas vidas mantidas no ar avaro do absurdo não se sustentam sem algum pensamento profundo e constante que as impulsione com sua força. Só pode ser, aqui, um singular sentimento de fidelidade. Homens conscientes foram vistos cumprindo sua tarefa em meio às guerras mais estúpidas sem por isso se considerarem em contradição. Tratava-se de não eludir nada. Há assim uma felicidade metafísica em sustentar a absurdidade do mundo. A conquista ou a comédia, o amor inumerável, a revolta absurda são homenagens que o homem rende à sua dignidade numa campanha em que está vencido de antemão.

Trata-se apenas de ser fiel à regra do combate. Este pensamento pode ser suficiente para alimentar um espírito: sustentou e sustenta civilizações inteiras. Não se pode negar a guerra. Nela é preciso morrer ou viver. É como o absurdo: trata-se de respirar com ele, reconhecer suas lições e encontrar sua carne. Neste sentido, o deleite absurdo por excelência é a criação. "A arte, e nada mais do que a arte", diz Nietzsche, "temos a arte para não morrer ante a verdade."

Na experiência que tento descrever e fazer sentir de várias maneiras, é certo que um tormento surge onde outro morre. A busca pueril do esquecimento, o chamado da satisfação já não têm eco. Mas a tensão constante que mantém o homem diante do mundo e o delírio ordenado que o leva a admitir tudo lhe trazem uma outra febre. Nesse universo, a obra é então a oportunidade única de manter sua consciência e de fixar suas aventuras. Criar é viver duas vezes. A busca titubeante e ansiosa de um Proust, sua meticulosa coleção de flores, tapeçarias e angústias não significam outra coisa. Ao mesmo tempo, sua única força é a criação contínua e inapreciável à qual se entregam, todos os dias de sua vida, o comediante, o conquistador e todos os homens absurdos. Todos tentam imitar, repetir e recriar sua própria realidade. Sempre acabamos adquirindo o rosto das nossas verdades. A existência inteira, para um homem afastado do eterno, não passa de uma imitação desmesurada sob a máscara do absurdo. A criação é o grande imitador.

Esses homens antes de mais nada sabem, e depois todo o seu esforço irá consistir em percorrer, aumentar e enriquecer a ilha sem futuro que acabam de abordar. Mas é preciso primeiro saber. Pois a descoberta absurda coincide com um tempo de detenção em que se elaboram e legitimam as paixões futuras. Até mesmo os homens sem evangelho têm o seu Monte das Oliveiras. E neste, tampouco, devem adormecer. Para o homem absurdo, não se trata de explicar e resolver, mas de sentir e descrever. Tudo começa com a indiferença clarividente.

Descrever, eis a suprema ambição de um pensamento absurdo. Também a ciência, chegando ao fim de seus paradoxos, deixa de propor e se detém para contemplar e desenhar a paisagem sempre virgem dos fenômenos. O coração aprende assim que a emoção que nos transporta até as diferentes facetas do mundo não nos vem de sua profundidade, mas de sua diversidade. A explicação é inútil, mas a sensação perdura e, com ela, os incessantes chamados de um universo inesgotável em quantidade. Agora se entende o lugar que ocupa a obra de arte.

Ela marca ao mesmo tempo a morte de uma experiência e sua multiplicação. É como uma repetição monótona e apaixonada dos temas já orquestrados pelo mundo: o corpo, imagem inesgotável no frontão dos templos, as formas ou as cores, o número ou o desespero. Não é, então, indiferente para terminar de encontrar os principais temas deste ensaio no universo magnífico e pueril do criador. Seria um erro ver aqui um símbolo e acreditar que a obra de arte possa ser considerada um refúgio diante do absurdo. Ela é em si mesma um fenômeno absurdo e a questão é apenas descrevê-lo. Não oferece uma saída para o mal do espírito. É, ao contrário, um dos sinais desse mal, que o repercute em todo o pensamento de um homem. Mas, pela primeira vez, tira o espírito de si mesmo e o coloca diante de outro, não para que se perca, mas para mostrar-lhe com um dedo preciso o caminho sem saída em que todos estão comprometidos. Na época do raciocínio absurdo, a criação sucede a indiferença e a descoberta. Determina o ponto de onde as paixões absurdas se desencadeiam e onde o raciocínio se detém. Assim, justifica-se seu lugar neste ensaio.

Bastará considerar alguns temas comuns entre o criador e o pensador para encontrarmos na obra de arte todas as contradições do pensamento engajado no absurdo. De fato, o que aproxima as inteligências são menos as conclusões idênticas do que as contradições que têm em comum. É o que ocorre com o pensamento e com a criação. Quase não é preciso dizer que é um mesmo tormento que induz o homem a essas atitudes. Elas coincidem em seu ponto de partida. Mas, entre todos os pensamentos que partem do absurdo, vi que muito poucos se mantêm nele. E por seus desvios e infidelidades avaliei melhor o que só pertencia ao absurdo. Paralelamente, devo me perguntar: é possível uma obra absurda?

Nunca se insistirá o suficiente na arbitrariedade da antiga oposição entre arte e filosofia. Se pretendermos entendê-la num sentido bem preciso, certamente ela é falsa. Se só quisermos dizer que cada uma dessas duas disciplinas tem seu clima particular, isto sem dúvida é verdade, porém vago. A única argumentação aceitável residia na contradição entre o filósofo encerrado *no meio* do seu sistema e o artista situado *diante* da sua obra. Mas isto era válido para uma certa forma de arte e de filosofia que aqui consideramos secundária. A ideia de uma arte separada do seu criador não apenas está fora de moda, como é falsa. Em oposição ao artista, afirma-se que nenhum filósofo jamais criou vários sistemas. Mas isto é verdade na medida em que nenhum artista expressou mais que uma única coisa sob diversas facetas. A perfeição instantânea da arte, a necessidade de sua renovação não passam de preconceito. Pois a obra de arte é também uma construção e todos sabemos como os grandes criadores podem ser monótonos. O artista, tanto quanto o pensador, compromete-se com sua obra e se transforma dentro dela. Tal osmose levanta o mais importante dos problemas estéticos. Ademais, nada mais inútil que essas distinções por métodos e objetos para quem está convencido da unidade das metas do espírito. Não há fronteiras entre as disciplinas que o homem emprega para compreender e para amar. Elas se interpenetram e a mesma angústia as confunde.

Isto deve ser dito desde o começo. Para tornar possível uma obra absurda, é preciso que o pensamento, na sua forma mais lúcida, esteja inserido nela. Mas, ao mesmo tempo, é preciso que só apareça como inteligência ordenadora. Este paradoxo se explica de acordo com o absurdo. A obra de arte nasce da renúncia da inteligência a raciocinar o concreto. Marca o triunfo do carnal. O que a provoca é o pensamento lúcido, mas nesse mesmo ato ele se nega. Não cede à tentação de acrescentar ao que foi descrito um sentido mais profundo cuja ilegitimidade conhece. A obra de arte encarna um drama da inteligência, mas só o demonstra indiretamente. A obra absurda exige um artista consciente dos seus limites e uma arte em que o concreto não signifique nada além de si mesmo. Ela não pode ser o fim, o sentido e o consolo de uma vida. Criar ou não criar não muda nada. O criador absurdo não se apega à sua obra. Poderia renunciar a ela; às vezes, renuncia. Basta uma Abissínia.

Pode-se ver nisso, ao mesmo tempo, uma regra de estética. A verdadeira obra de arte está sempre na medida humana. É essencialmente aquela que diz "menos". Há certa relação entre a experiência global de um artista e a obra que a reflete, entre *Wilhelm Meister* e o amadurecimento de Goethe. Essa relação é ruim quando a obra pretende reunir toda a experiência no papel de seda de uma literatura explicativa. Essa relação é boa quando a obra é somente um pedaço talhado da experiência, uma faceta do diamante cujo brilho interior se resume sem limitar-se. No primeiro caso, há sobrecarga e pretensão de eternidade. No segundo, obra fecunda por causa de todo um subentendido de experiência cuja riqueza se adivinha. O problema para o artista absurdo é adquirir o *savoir-vivre* que supera o *savoir-faire*. Para terminar, o grande artista nesse clima é antes de mais nada um grande ser vivo, entendendo- -se que viver, aqui, é tanto sentir como refletir. A obra encarna, então, um drama intelectual. A obra absurda ilustra a renúncia do pensamento aos seus prestígios e sua resignação a ser apenas uma inteligência que põe as aparências em movimento e cobre com imagens o que carece de razão. Se o mundo fosse claro, não existiria a arte.

Não falo aqui das artes da forma ou da cor, nas quais reina sozinha a descrição em sua esplêndida modéstia.* A expressão começa onde o pensamento acaba. Os adolescentes de olhos vazios que povoam templos e museus puseram sua filosofia em gestos. Para um homem absurdo, ela ensina mais que todas as bibliotecas. Num outro aspecto, ocorre a mesma coisa com a música. Se há uma arte sem ensino, é exatamente esta. Ela se parece demais com a matemática para não ter tomado alguma coisa da sua gratuidade. Esse jogo do espírito consigo mesmo, segundo leis estabelecidas e medidas, desenvolve-se no espaço sonoro que é o nosso e por cima do qual, entretanto, as vibrações se encontram num universo inumano. Não existe sensação mais pura. Esses exemplos são fáceis demais. O homem absurdo reconhece como suas essas harmonias e essas formas.

Mas quero falar aqui de uma obra na qual a tentação de explicar continua sendo muito grande, a ilusão se oferece por si mesma e a conclusão é quase inevitável. Refiro-me à criação romanesca. Indagarei se o absurdo pode se manter nela.

---

* É curioso ver que a mais intelectual das pinturas, aquela que procura reduzir a realidade aos seus elementos essenciais, somente em última instância é um deleite para os olhos. Do mundo só conservou a cor.

*

Pensar é antes de mais nada querer criar um mundo (ou limitar o próprio, o que dá no mesmo). É partir do desacordo fundamental que separa o homem da sua experiência, para encontrar um terreno de entendimento segundo a sua nostalgia, um universo engessado de razões ou iluminado por analogias que permita resolver o divórcio insuportável. O filósofo, mesmo que seja Kant, é criador. Tem seus personagens, seus símbolos e sua ação secreta. Tem seus desenlaces. Ao contrário, a vantagem do romance sobre a poesia e o ensaio representa apenas, e apesar das aparências, uma maior intelectualização da arte. Entendamo-nos: trata-se sobretudo dos maiores. A fecundidade e a grandeza de um gênero se medem muitas vezes por seus resíduos. O número de romances ruins não deve fazer esquecer a grandeza dos melhores. Estes, justamente, trazem consigo seu universo. O romance tem sua lógica, seus raciocínios, sua intuição e seus postulados. Tem também suas exigências de clareza.*

---

* Vale a pena refletir sobre a questão: ela explica os piores romances. Quase todo mundo se acha capaz de pensar e, em certa medida, bem ou mal, de fato pensa. Muito poucos, ao contrário, podem se imaginar poetas ou forjadores de frases. Mas a partir do momento em que o pensamento prevaleceu sobre o estilo, a multidão invadiu o romance.

Isto não é tão ruim quanto dizem. Os melhores são levados a fazer mais exigências a si mesmos. Quanto aos que sucumbem, eles não mereciam mesmo sobreviver.

A oposição clássica que mencionei se justifica menos ainda neste caso particular. Era válida nos tempos em que era fácil separar a filosofia do seu autor. Hoje, quando o pensamento não aspira ao universal, quando sua melhor história seria a dos seus arrependimentos, sabemos que o sistema, quando é válido, não se separa do seu autor. A própria *Ética*, num dos seus aspectos, é apenas uma longa e rigorosa confidência. O pensamento abstrato obtém por fim seu suporte de carne. E, ao mesmo tempo, os jogos romanescos do corpo e das paixões se ordenam um pouco mais, seguindo as exigências de uma visão do mundo. Não se contam mais "histórias", cria-se seu universo. Os grandes romancistas são romancistas filósofos, ou seja, o contrário de escritores com teses. Vejam Balzac, Sade, Melville, Stendhal, Dostoiévski, Proust, Malraux, Kafka, para citar só alguns.

Mas, justamente, a opção que fizeram de escrever com imagens mais que com raciocínios revela um certo pensamento que lhes é comum, persuadido da inutilidade de todo princípio de explicação e convencido da mensagem instrutiva da aparência sensível. Consideram a obra como um fim e ao mesmo tempo como um princípio. É a culminação de uma filosofia muitas vezes não manifesta, sua ilustração e seu coroamento. Mas ela só se completa pelos subentendidos dessa filosofia. E legitima por fim essa variante de um tema antigo: um pouco de pensamento afasta da vida, mas muito pensamento, retorna a ela. Incapaz de sublimar o real, o pensamento se limita a imitá-lo. O romance em questão é o instrumento desse conhecimento ao mesmo tempo relativo e inesgotável, tão parecido com o do amor. Deste, a criação romanesca possui o deslumbramento inicial e a ruminação fecunda.

Ao menos estes são os prestígios que lhe reconheço de saída. Mas também os reconhecia nos príncipes do pensamento humilhado cujos suicídios pude depois acompanhar. O que me interessa, precisamente, é conhecer e descrever a força que os traz de volta ao caminho comum da ilusão. O mesmo método me servirá agora, então. O fato de já tê-lo empregado permitirá abreviar o meu raciocínio e resumi-lo rapidamente num exemplo preciso. Quero saber se, quando se aceita viver sem apelo, pode-se também aceitar trabalhar e criar sem apelo e qual é o caminho que leva a essas liberdades. Quero libertar o meu universo de seus fantasmas e povoá-lo apenas com verdades de carne cuja presença não possa negar. Posso fazer uma obra absurda, escolher a atitude criativa em vez de outra. Mas uma atitude absurda, para continuar sendo tal, deve manter-se consciente de sua gratuidade. Tal como a obra. Se nela não se respeitam os mandamentos do absurdo, se ela não ilustra o divórcio e a revolta e se sacrifica as ilusões e suscita a esperança, então não é mais gratuita. Já não posso me afastar dela. Minha vida pode encontrar ali um sentido: isto é ridículo. Ela não é mais o exercício de desapego e de paixão que consome o esplendor e a inutilidade de uma vida humana.

Na criação em que a tentação de explicar é mais forte, pode-se então superar essa tentação? No mundo fictício em que a consciência do mundo real é a mais forte, posso permanecer fiel ao absurdo sem sacrificá-lo ao desejo de concluir? São muitas as perguntas a considerar num último esforço. Já se entendeu o que elas significam. São os últimos escrúpulos de uma consciência que teme abandonar sua primeira e difícil lição em favor de uma última ilusão. O que vale para a criação, considerada como *uma* das atitudes possíveis para o homem consciente do absurdo, vale para todos os estilos de vida que se oferecem a ele. O conquistador ou o ator, o criador ou Don Juan podem esquecer que seu exercício de viver não funcionaria sem a consciência do seu caráter insensato. As pessoas se acostumam rapidamente. Querem ganhar dinheiro para viver felizes e concentram todo o esforço e o melhor de uma vida em ganhar esse dinheiro. Esquecem da felicidade, confundem o meio com o fim. Da mesma maneira, todo o esforço do conquistador vai derivar na ambição, que era apenas um caminho para uma vida mais ampla. Don Juan, por seu lado, vai aceitar também o próprio destino, satisfazendo-se com uma existência cuja grandeza só vale pela revolta. Para um é a consciência, para o outro, a revolta, nos dois casos o absurdo desapareceu. Há muita esperança tenaz no coração humano. Os homens mais despojados acabam às vezes aceitando a ilusão. Tal aprovação ditada pela necessidade de paz é irmã da aceitação existencial. Mas o que falta é o caminho do meio que leve a encontrar os rostos do homem.

Até aqui, foram os fracassos da exigência absurda que melhor nos informaram sobre o que ela é. Da mesma maneira, será suficiente, para não cair na ingenuidade, percebermos que a criação romanesca pode oferecer a mesma ambiguidade que certas filosofias. Posso então escolher, para a minha ilustração, uma obra que reúna tudo o que marca a consciência do absurdo, cujo começo seja claro e o clima, lúcido. Suas consequências nos instruirão. Se nela o absurdo não é respeitado, saberemos através de que viés a ilusão se introduziu. Um exemplo preciso, um tema, uma fidelidade de criador serão então suficientes. Trata-se da mesma análise que já foi feita mais extensamente.

Examinarei um tema favorito de Dostoiévski. Também poderia ter estudado outras obras.* Mas nesta o problema é tratado diretamente, no sentido da grandeza e da emoção, como nos pensamentos existenciais de que já falamos. Tal paralelismo serve para o meu propósito.

---

* A de Malraux, por exemplo. Mas seria preciso tratar ao mesmo tempo do problema social, que o pensamento absurdo não pode evitar (mesmo que se possa propor várias e muito diversas soluções). É preciso, porém, se limitar.

Kirilov

2

Todos os heróis de Dostoiévski se questionam sobre o sentido da vida. Nisto são modernos: não temem o ridículo. O que distingue a sensibilidade moderna da sensibilidade clássica é que esta se nutre de problemas morais e aquela de problemas metafísicos. Nos romances de Dostoiévski, a questão é colocada com tal intensidade que só admite soluções extremas. A existência é enganosa ou é eterna. Se Dostoiévski se contentasse com essa análise, seria filósofo. Mas ele ilustra as consequências que esses jogos do espírito podem ter na vida de um homem e por isso é um artista. Entre tais consequências, a que lhe interessa é a última, que ele mesmo chama, no *Diário de um escritor,* de suicídio lógico. Nas anotações de dezembro de 1876, de fato, imagina o arrazoado do "suicídio lógico". Convencido de que a existência humana é um absurdo perfeito para quem não tem fé na imortalidade, o desesperado chega às seguintes conclusões:

"Visto que a resposta às minhas perguntas sobre a felicidade que recebo da minha consciência é de que só posso ser feliz em harmonia com o grande todo que não concebo, nem nunca poderei conceber, é evidente...

"... Visto que, enfim, nesta ordem de coisas, assumo ao mesmo tempo o papel de querelante e de querelado, de acusado e de juiz, e visto que julgo totalmente estúpida essa comédia por parte da natureza, e até considero humilhante, por minha parte, aceitar interpretá-la...

"Na minha qualidade indiscutível de querelante e querelado, de juiz e acusado, condeno essa natureza que, com tão impudente desaforo, fez-me nascer para sofrer — eu a condeno a ser aniquilada comigo."

Há ainda um pouco de humor nessa posição. Este suicida se mata porque, no plano metafísico, sente-se *vexado*. Em certo sentido, ele se vinga. É a maneira que tem de provar que "não o pegarão". Sabe-se porém que o mesmo tema se encarna, com a mais admirável amplidão, em Kirilov, personagem de *Os possessos,* também partidário do suicídio lógico. O engenheiro Kirilov declara em algum lugar que quer sair da vida porque "esta é sua ideia". Parece claro que se deve tomar a frase no sentido próprio. É com uma ideia, um pensamento que ele se prepara para a morte. É o suicídio superior. Progressivamente, ao longo das cenas em que a personalidade de Kirilov pouco a pouco se ilumina, o pensamento mortal que o anima nos é revelado. O engenheiro, efetivamente, retoma os raciocínios do *Diário*. Sente que Deus é necessário e que é preciso que exista. Mas sabe que não existe, nem pode existir. "Como você não compreende", exclama ele, "que esta é uma razão suficiente para se matar?" Tal atitude provoca igualmente nele algumas consequências absurdas. Por indiferença, aceita que seu suicídio seja usado em proveito de uma causa que despreza. "Esta noite decidi que me dá no mesmo." Prepara enfim seu gesto com um sentimento mesclado de revolta e de liberdade. "Eu me matarei para afirmar minha insubordinação, minha nova e terrível liberdade." Não se trata mais de vingança e sim de revolta. Kirilov é, então, um personagem absurdo — mas com uma reserva essencial: ele se mata. Mas é ele mesmo quem explica esta contradição, e de tal maneira que revela ao mesmo tempo o segredo absurdo em toda a sua pureza. Acrescenta, de fato, à sua lógica mortal uma ambição extraordinária que dá ao personagem toda a sua perspectiva: ele quer se matar para tornar-se deus.

O raciocínio é de uma clareza clássica. Se Deus não existe, Kirilov é deus. Se Deus não existe, Kirilov deve se matar. Kirilov deve se matar, então, para ser deus. Esta lógica é absurda, mas é o que se necessita. O interessante, contudo, é dar um sentido a essa divindade trazida para a Terra. Isto leva a esclarecer a premissa: "Se Deus não existe, eu sou deus", ainda bastante obscura. É importante notar antes de mais nada que o homem que manifesta tal pretensão insensata é bem deste mundo. Faz sua ginástica toda manhã para manter a saúde. Comove-se com a alegria de Chatov ao encontrar sua mulher. Num papel encontrado depois de sua morte, quer desenhar uma figura que "lhes" mostre a língua. É pueril e colérico, apaixonado, metódico e sensível. De super-homem só tem a lógica e a ideia fixa, de homem tem todos os registros. No entanto, é ele quem fala tranquilamente de sua divindade. Ele não é louco, ou senão foi Dostoiévski quem enlouqueceu. O que o agita não é uma ilusão de megalômano. E tomar as palavras em seu sentido próprio seria, desta vez, ridículo.

O próprio Kirilov nos ajuda a entendê-lo melhor. Ante uma pergunta de Stavroguin, explica que não fala de um deus-homem. Pode-se pensar que é por preocupação de se distinguir de Cristo. Mas na realidade trata-se de anexá-lo. De fato, Kirilov imagina por um instante que Jesus, ao morrer, *não se encontrou no paraíso*. Soube então que sua tortura tinha sido em vão. "As leis da natureza", diz o engenheiro, "fizeram Cristo viver em meio à mentira e morrer por uma mentira." Somente neste sentido, Jesus encarna todo o drama humano. É o homem perfeito, porque é aquele que realizou a condição mais absurda. Não é o Deus-homem, mas o homem-deus. E, como ele, cada um de nós pode ser crucificado e enganado — em certa medida, aliás, isto acontece.

A divindade de que se trata é então totalmente terrena. "Procurei durante três anos", diz Kirilov, "o atributo da minha divindade e o encontrei. O atributo da minha divindade é a independência." Agora se entende o sentido da premissa kiriloviana: "Se Deus não existe, eu sou deus." Tornar-se deus é apenas ser livre nesta Terra, não servir a um ser imortal. É sobretudo, naturalmente, extrair todas as consequências dessa dolorosa independência. Se Deus existe, tudo depende dele e nada podemos fazer contra a sua vontade. Se não existe, tudo depende de nós. Para Kirilov, assim como para Nietzsche, matar Deus é tornar-se deus — ou seja, realizar nesta Terra a vida eterna de que fala o Evangelho.*

---

* "Stavroguin: – Você acredita na vida eterna no outro mundo? Kirilov: – Não, mas acredito na vida eterna neste."

Mas se esse crime metafísico basta para a realização do homem, por que lhe acrescentar o suicídio? Por que se matar, abandonar este mundo depois de conquistar a liberdade? É contraditório. Kirilov sabe bem disso quando acrescenta: "Se tu sentes isso, és um czar e, ao contrário de matar-te, viverás no auge da glória." Mas os homens não sabem disso. Não sentem "isso". Como no tempo de Prometeu, alimentam em si cegas esperanças.* Precisam que lhes mostrem o caminho e não podem prescindir da predicação. Kirilov deve então se matar por amor à humanidade. Deve mostrar a seus irmãos uma via real e difícil que ele será o primeiro a percorrer. É um suicídio pedagógico, e por isso Kirilov se sacrifica. Mas, mesmo sendo crucificado, não será enganado. Continua sendo homem-deus, persuadido de uma morte sem futuro, penetrado por uma melancolia evangélica. "Eu", diz ele, "sou infeliz porque sou *obrigado* a afirmar minha liberdade." Mas, morto ele e ilustrados por fim os homens, esta Terra se povoará de czares e se iluminará com a glória humana. O tiro de pistola de Kirilov será o sinal da última revolução. Não é o desespero, então, o

---

* "O homem limitou-se a inventar Deus para não se matar. Assim se resume a história universal até este momento."

que o empurra para a morte, mas o amor do próximo por si mesmo. Antes de acabar com sangue uma inefável aventura espiritual, Kirilov pronuncia uma frase tão velha quanto o sofrimento dos homens: "Está tudo bem."

Este tema do suicídio em Dostoiévski é, então, um tema absurdo. Observemos apenas, antes de prosseguir, que Kirilov reaparece em outros personagens que também encarnam novos temas absurdos. Stavroguin e Ivan Karamazov exercitam na vida prática verdades absurdas. É a eles que a morte de Kirilov liberta. Tentam ser czares. Stavroguin leva uma vida "irônica", sabe-se muito bem qual. Desperta o ódio ao seu redor. No entanto, a palavra-chave desse personagem está em sua carta de despedida: "Não pude detestar nada." Ele é czar na indiferença. Ivan também, quando se nega a abdicar dos poderes régios do espírito. Àqueles que, como seu irmão, provam com a própria vida que é preciso se humilhar para crer, ele poderia responder que esta condição é indigna. Sua palavra-chave é "Tudo é permitido", com o conveniente toque de tristeza. Evidentemente, tal como Nietzsche, o mais célebre assassino de Deus, ele acaba louco. Mas é um risco que se deve correr e, diante desses finais trágicos, o movimento essencial do espírito absurdo consiste em perguntar: "O que prova isto?"

Por isso os romances, tal como o *Diário,* formulam a questão absurda. Instauram a lógica até a morte, a exaltação, a liberdade "terrível", a glória dos czares tornada humana. Está tudo bem, tudo é permitido e nada é detestável: são juízos absurdos. Mas que prodigiosa criação aquela em que esses seres de fogo e gelo nos parecem tão familiares! O apaixonado mundo da indiferença que ruge em seu coração não nos parece nem um pouco absurdo. Nele encontramos nossas angústias cotidianas. E, sem dúvida, ninguém como Dostoiévski soube dar ao mundo absurdo prestígios tão próximos e tão torturantes.

Qual é, porém, sua conclusão? Duas citações mostrarão a completa inversão metafísica que leva o escritor a outras revelações. Como o raciocínio do suicida lógico havia provocado algumas reclamações dos críticos, Dostoiévski desenvolve sua posição nas anotações seguintes do *Diário* e conclui assim: "A fé na imortalidade é tão necessária para o ser humano (que sem ela acaba por se matar) porque se trata do estado normal da humanidade. Sendo assim, a imortalidade da alma humana existe sem qualquer dúvida." Por outro lado, nas últimas páginas do seu último romance, ao final do gigantesco combate com Deus, umas crianças perguntam a Aliocha: "Karamazov, é verdade o que a religião diz, que ressuscitaremos de entre os mortos, que poderemos ver-nos uns aos outros?" E Aliocha responde: "Com certeza nós nos encontraremos de novo e contaremos alegremente tudo o que nos aconteceu."

Assim, Kirilov, Stavroguin e Ivan são derrotados. Os *Karamazov* respondem aos *Possessos*. E trata-se mesmo de uma conclusão. O caso de Aliocha não é ambíguo como o do príncipe Muichkin. Doente, este último vive num presente perpétuo, matizado por sorrisos e indiferença, e este estado bem-aventurado poderia ser a vida eterna de que fala o príncipe. Aliocha, ao contrário, diz apenas: "Tornaremos a nos encontrar." Não se trata mais de suicídio e loucura. Para quê, se ele tem certeza da imortalidade e suas alegrias? O homem troca sua divindade pela felicidade. "E contaremos alegremente tudo o que nos aconteceu." E assim, também, a pistola de Kirilov ressoou em alguma parte da Rússia, mas o mundo continuou girando suas cegas esperanças. Os homens não compreenderam "isso".

Não é então um romancista absurdo quem nos fala, mas um romancista existencial. Também aqui o salto é emocionante, confere sua grandeza à arte que o inspira. É uma adesão tocante, cheia de dúvidas, incerta e ardente. Falando sobre os *Karamazov*, Dostoiévski escrevia:

"A questão principal que será perseguida em todas as partes deste livro é a mesma de que padeço, consciente ou inconscientemente, a minha vida inteira: a existência de Deus." É difícil acreditar que um romance tenha sido suficiente para transformar em alegre certeza o sofrimento de toda uma vida. Um comentarista* aponta com toda a razão: Dostoiévski está comprometido com Ivan — e os capítulos afirmativos dos *Karamazov* lhe exigiram três meses de esforços, enquanto aquilo que ele chamava de "as blasfêmias" foram compostas em três semanas, em plena exaltação. Não há um único personagem que não leve essa farpa na carne, que não o irrite e que busque um remédio na sensação ou na imortalidade.** Em todo caso, fiquemos com a dúvida. Esta é uma obra em que podemos, num claro-escuro mais cativante que a luz do dia, captar a luta do homem contra suas esperanças. Chegando ao final, o criador faz uma escolha contra seus personagens. Esta contradição nos permite também introduzir um matiz. Não se trata aqui de uma obra absurda, mas de uma obra que coloca o problema absurdo.

---

* Boris de Schloezer.

** Observação curiosa e penetrante de Gide: quase todos os heróis de Dostoiévski são polígamos.

A resposta de Dostoiévski é a humilhação, a "vergonha" segundo Stavroguin. Uma obra absurda, pelo contrário, não dá respostas, eis toda a diferença. Ressaltemos bem isto, para terminar: o que contradiz o absurdo nesta obra não é seu caráter cristão, é o anúncio que faz da vida futura. Pode-se ser cristão e absurdo. Há exemplos de cristãos que não acreditam na vida futura. A propósito da obra de arte, seria possível, então, determinar uma das direções da análise absurda que pudemos pressentir nas páginas precedentes. Ela permite postular "o absurdo do Evangelho". Ilumina a ideia, fecunda em consequências, de que as convicções não impedem a incredulidade. Bem se vê, ao contrário, que o autor dos *Possessos*, familiarizado com tais caminhos, terminou adotando uma via bem diferente. A surpreendente resposta do criador aos seus personagens, de Dostoiévski a Kirilov, pode ser resumida assim: A existência é enganosa *e* é eterna.

A criação sem amanhã

3

Agora percebo, então, que a esperança não pode ser eludida para sempre e que pode assaltar os mesmos que se achavam livres dela. Este é o interesse das obras examinadas até aqui. E poderia, ao menos na ordem da criação, enumerar algumas obras verdadeiramente absurdas.* Mas tudo requer um começo. O objeto dessa busca é uma certa fidelidade. A Igreja foi tão dura com os heréticos porque considerava que não há pior inimigo que um filho descarrilhado. Mas a história das audácias gnósticas e a persistência das correntes maniqueístas fizeram mais pela construção do dogma ortodoxo que todas as orações. Guardadas as proporções, o mesmo acontece com o absurdo. Pode-se reconhecer sua senda descobrindo os caminhos que se afastam dele. Ao final do raciocínio absurdo, numa das atitudes ditadas por sua

---

* *Moby Dick* de Melville, por exemplo.

lógica, não é indiferente ver a esperança ser reintroduzida sob um de seus rostos mais patéticos. Isso mostra a dificuldade da ascese absurda. Isso mostra, sobretudo, a necessidade de uma consciência sustentada permanentemente e integrada no âmbito geral deste ensaio.

Mas se ainda não se cogita em enumerar as obras absurdas, ao menos cabe refletir sobre a atitude criadora, uma das que podem completar a existência absurda. Nada serve tão bem à arte quanto um pensamento negativo. Seus procedimentos obscuros e humilhados são tão necessários para se entender uma grande obra quanto o negro é para o branco. Trabalhar e criar "para nada", esculpir na argila, saber que sua criação não tem futuro, ver essa obra ser destruída em um dia, estando consciente de que, no fundo, isto não tem mais importância que construir para os séculos, eis a difícil sabedoria que autoriza o pensamento absurdo. Desenvolver ambas as tarefas ao mesmo tempo, negar por um lado e exaltar pelo outro é o caminho que se abre diante do criador absurdo. Ele deve dar suas cores ao vazio.

Isto conduz a uma concepção particular da obra de arte. Com muita frequência considera-se a obra de um criador como uma série de testemunhos isolados. Confunde-se então artista e literato. Um pensamento profundo está em contínuo devir, abraça a experiência de uma vida e lhe dá forma. Da mesma maneira, a criação única de um homem se fortalece nas suas faces sucessivas e múltiplas que são as obras. Umas completam as outras, corrigem-nas ou as recuperam, também as contradizem. Se há uma coisa que completa a criação, não é o grito vitorioso e ilusório do artista enceguecido: "Eu disse tudo", e sim a morte do criador que encerra sua experiência e o livra do seu gênio.

Esse esforço, essa consciência sobre-humana não aparecem forçosamente para o leitor. Não há mistério na criação humana. A vontade faz esse milagre. Ao menos, porém, não há verdadeira criação sem segredo. Não há dúvida de que uma sucessão de obras pode ser apenas uma série de aproximações ao mesmo pensamento. Mas cabe conceber uma outra espécie de criadores, que procederiam por justaposição. Suas obras parecem não ter relação entre si. Em certa medida, são contraditórias. Mas, recolocadas em seu conjunto, elas recuperam sua ordenação. Recebem da morte, então, seu sentido definitivo. Aceitam o mais claro de sua luz da própria vida do autor. Nesse momento, a sucessão de suas obras não passa de uma coleção de fracassos. Mas se todos esses fracassos conservam a mesma ressonância, o criador soube repetir a imagem de sua própria condição, fazendo ecoar o segredo estéril que possui.

O esforço de dominação é aqui considerável. Mas a inteligência humana pode chegar a muito mais. Ela se limitará a demonstrar o aspecto voluntário da criação. Em outro lugar ressaltei que a vontade humana tinha como único fim manter a consciência. Mas isto não poderia ser feito sem disciplina. De todas as escolas de paciência e lucidez, a criação é a mais eficaz. É também o testemunho perturbador da única dignidade do homem: a revolta tenaz contra sua contradição, a perseverança num esforço considerado estéril. Exige um esforço cotidiano, domínio de si, apreciação exata dos limites do verdadeiro, ponderação e força. Constitui uma ascese. Tudo isto "para nada", para repetir e marcar o passo. Mas talvez a grande obra de arte tenha menos importância em si mesma do que na prova que exige de um homem e a oportunidade que lhe oferece para superar seus fantasmas e se aproximar um pouco mais da sua realidade nua.

Mas não nos enganemos de estética. Não é a informação paciente, a incessante e inútil ilustração de uma tese o que invoco aqui. Ao contrário, se é que me expliquei com clareza. O romance de tese, a obra que prova, a mais odiosa de todas, é a que mais se inspira num pensamento *satisfeito*. Demonstra a verdade que imagina possuir. Mas o que se põe em ação são ideias, e as ideias são o contrário do pensamento. Esses criadores são filósofos envergonhados. Aqueles a que me refiro, ou imagino, são, ao contrário, pensadores lúcidos. Em um certo ponto em que o pensamento se volta sobre si mesmo, eles traçam as imagens de suas obras como símbolos evidentes de um pensamento limitado, mortal e rebelde.

Tais obras talvez provem alguma coisa. Porém, os romancistas, mais do que exibir essas provas, as dão a si mesmos. O essencial é que triunfem no concreto e que esta seja sua grandeza. Um triunfo totalmente carnal preparou-os para um pensamento em que os poderes abstratos foram humilhados. Quando são totalmente humilhados, a carne faz resplandecer ao mesmo tempo a criação com todo o seu brilho absurdo. São os filósofos irônicos que fazem as obras apaixonadas.

Todo pensamento que renuncia à unidade exalta a diversidade. E a diversidade é o lugar da arte. O único pensamento que liberta o espírito é o que o deixa sozinho, certo dos seus limites e do seu fim próximo. Nenhuma doutrina o solicita. Espera o amadurecimento da obra e da vida. Separada dele, a primeira fará ouvir mais uma vez a voz quase ensurdecida de uma alma libertada para sempre da esperança. Ou não deixará ouvir nada, se o criador, cansado do seu jogo, pretende se retirar. O que é equivalente.

Por isso peço à criação absurda o mesmo que exigia do pensamento: revolta, liberdade e diversidade. Depois ela manifestará sua profunda inutilidade. Nesse esforço cotidiano em que a inteligência e a paixão se misturam e se arrebatam, o homem absurdo descobre uma disciplina que será o essencial de suas forças. A aplicação necessária, a obstinação e a clarividência coincidem assim na atitude conquistadora. Criar é também dar uma forma ao destino. Todos esses personagens são definidos por sua obra, ao menos tanto quanto a definem. O comediante nos ensinou: não há fronteira entre o parecer e o ser.

Repitamos. Nada disso tem sentido real. Ainda temos que fazer progressos no caminho dessa liberdade. O último esforço para esses espíritos afins, criador ou conquistador, consiste em saber libertar-se também de seus empreendimentos: conseguir admitir que a obra, seja conquista, amor ou criação, pode não ser; consumar assim a inutilidade profunda de toda vida individual. Isto lhes dá mais facilidade na realização dessa obra, assim como perceber o absurdo da vida os autorizava a mergulhar nela com todos os excessos.

O que resta é um destino cuja única saída é fatal. À margem dessa fatalidade única da morte, tudo, alegria ou felicidade, é liberdade. Surge um mundo cujo único dono é o homem. O que o atava era a ilusão de outro mundo. A sorte do seu pensamento já não é renunciar a si, mas renovar-se em imagens. Ele se representa — em mitos, sem dúvida —, mas mitos sem outra profundidade senão a dor humana e, como esta, inesgotável. Não mais a fábula divina que diverte e cega, mas o rosto, o gesto e o drama terrenos em que se resumem uma difícil sabedoria e uma paixão sem amanhã.

O MITO DE SÍSIFO

Os deuses condenaram Sísifo a empurrar incessantemente uma rocha até o alto de uma montanha, de onde tornava a cair por seu próprio peso. Pensaram, com certa razão, que não há castigo mais terrível que o trabalho inútil e sem esperança.

Se dermos crédito a Homero, Sísifo era o mais sábio e prudente dos mortais. Mas, segundo uma outra tradição, ele tendia para o ofício de bandido. Não vejo contradição nisso. As opiniões diferem sobre os motivos que o levaram a ser o trabalhador inútil dos infernos. Censuram-lhe primeiro certa leviandade com os deuses. Ele revelou seus segredos. Egina, filha de Asopo, foi raptada por Júpiter. O pai estranhou seu desaparecimento e se queixou a Sísifo. Este, que estava sabendo do rapto, ofereceu-se para instruir Asopo, com a condição de que ele desse água à cidadela de Corinto. Preferiu a bênção da água aos raios celestes. E como castigo acabou nos infernos. Homero nos conta também que Sísifo havia acorrentado a Morte. Plutão não pôde suportar o espetáculo de seu império deserto e silencioso. Enviou o deus da guerra, que libertou a Morte das mãos de seu vencedor.

Contam também que Sísifo, já perto de morrer, quis imprudentemente pôr à prova o amor de sua esposa. Ordenou que ela jogasse seu corpo insepulto no meio da praça pública. Sísifo foi para os infernos. E ali, irritado por uma obediência tão contrária ao amor humano, obteve de Plutão a permissão de voltar à Terra para castigar a mulher. Mas quando tornou a ver a face deste mundo, a desfrutar da água e do sol, das pedras tépidas e do mar, não quis voltar para as sombras infernais. As chamadas, cóleras e advertências nada conseguiram. Durante muitos anos ele continuou morando em frente à curva do golfo, com o mar resplandecente e os sorrisos da Terra. Foi preciso uma intervenção dos deuses. Mercúrio segurou o audaz pelo pescoço e, tirando-o de suas alegrias, trouxe-o à força de volta para o inferno, onde sua rocha estava já preparada.

Já devem ter notado que Sísifo é o herói absurdo. Tanto por causa de suas paixões como por seu tormento. Seu desprezo pelos deuses, seu ódio à morte e sua paixão pela vida lhe valeram esse suplício indizível no qual todo o ser se empenha em não terminar coisa alguma. É o preço que se paga pelas paixões desta Terra. Nada nos dizem sobre Sísifo nos infernos. Os mitos são feitos para que a imaginação os anime. No caso deste, só vemos todo o esforço de um corpo tenso ao erguer a pedra enorme, empurrá-la e ajudá-la a subir uma ladeira cem vezes recomeçada; vemos o rosto crispado, a bochecha colada contra a pedra, o socorro de um ombro que recebe a massa coberta de argila, um pé que a retém, a tensão dos braços, a segurança totalmente humana de duas mãos cheias de terra. Ao final desse prolongado esforço, medido pelo espaço sem céu e pelo tempo sem profundidade, a meta é atingida. Sísifo contempla então a pedra despencando em alguns instantes até esse mundo inferior de onde ele terá que tornar a subi-la até os picos. E volta à planície.

É durante esse regresso, essa pausa, que Sísifo me interessa. Um rosto que padece tão perto das pedras já é pedra ele próprio! Vejo esse homem descendo com passos pesados e regulares de volta para o tormento cujo fim não conhecerá. Essa hora, que é como uma respiração e que se repete com tanta certeza quanto sua desgraça, essa hora é a da consciência. Em cada um desses instantes, quando ele abandona os cumes e mergulha pouco a pouco nas guaridas dos deuses, Sísifo é superior ao seu destino. É mais forte que sua rocha.

Este mito só é trágico porque seu herói é consciente. O que seria a sua pena se a esperança de triunfar o sustentasse a cada passo? O operário de hoje trabalha todos os dias de sua vida nas mesmas tarefas, e esse destino não é menos absurdo. Mas só é trágico nos raros momentos em que se torna consciente. Sísifo, proletário dos deuses, impotente e revoltado, conhece toda a extensão de sua miserável condição: pensa nela durante a descida. A clarividência que deveria ser o seu tormento consuma, ao mesmo tempo, sua vitória. Não há destino que não possa ser superado com o desprezo.

Assim como, em certos dias, a descida é feita na dor, também pode ser feita na alegria. Esta palavra não é exagerada. Também imagino Sísifo voltando para a sua rocha, e a dor existia desde o princípio. Quando as imagens da Terra se aferram com muita força à lembrança, quando o chamado da felicidade torna-se premente demais, então a tristeza se ergue no coração do homem: é a vitória da rocha, é a própria rocha. O desespero imenso é coisa pesada demais para se carregar. São as nossas noites de Getsêmani. Mas as verdades esmagadoras desaparecem ao serem reconhecidas. Édipo, por exemplo, primeiramente obedece ao destino sem saber disso. A partir do momento em que sabe, sua tragédia começa. Mas no mesmo momento, cego e desesperado, reconhece que o único laço que o liga ao mundo é a mão fresca de uma jovem. Uma frase desmedida ressoa então: "Apesar de tantas provas, minha idade avançada e a grandeza da minha alma me levam a julgar que está tudo bem." O Édipo de Sófocles, como o Kirilov de Dostoiévski, dá assim a fórmula da vitória absurda. A sabedoria antiga coincide com o heroísmo moderno.

Ninguém descobre o absurdo sem ficar tentado a escrever algum manual de felicidade. "E como assim, por vias tão estreitas...?" Mas só há um mundo. A felicidade e o absurdo são dois filhos da mesma terra. São inseparáveis. O erro seria dizer que a felicidade nasce necessariamente da descoberta absurda. Às vezes ocorre também que o sentimento do absurdo nasce da felicidade. "Creio que está tudo bem", diz Édipo, e esta frase é maldita. Ressoa no universo feroz e limitado do homem e ensina que nem tudo foi experimentado até o fim. Ela expulsa deste mundo um deus que havia entrado nele com a insatisfação e o gosto pelas dores inúteis. Faz do destino um assunto humano, que deve ser acertado entre os homens.

Toda a alegria silenciosa de Sísifo consiste nisso. Seu destino lhe pertence. A rocha é sua casa. Da mesma forma, o homem absurdo manda todos os ídolos se calarem quando contempla seu tormento. No universo que repentinamente recuperou o silêncio, erguem-se os milhares de vozes maravilhadas da Terra. Chamamentos inconscientes e secretos, convites de todos os rostos são o reverso necessário e o preço da vitória. Não há sol sem sombra, e é preciso conhecer a noite. O homem absurdo diz que sim e seu esforço não terá interrupção. Se há um destino pessoal, não há um destino superior ou ao menos só há um, que ele julga fatal e desprezível. De resto, sabe que é dono de seus dias. No instante sutil em que o homem se volta para a sua vida, Sísifo, regressando para a sua rocha, contempla essa sequência de ações desvinculadas que se tornou seu destino, criado por ele, unido sob o olhar de sua memória e em breve selado por sua morte. Assim, convencido da origem totalmente humana de tudo o que é humano, cego que deseja ver e que sabe que a noite não tem fim, ele está sempre em marcha. A rocha ainda rola.

Deixo Sísifo na base da montanha! As pessoas sempre reencontram seu fardo. Mas Sísifo ensina a fidelidade superior que nega os deuses e ergue as rochas. Também ele acha que está tudo bem. Esse universo, doravante sem dono, não lhe parece estéril nem fútil. Cada grão dessa pedra, cada fragmento mineral dessa montanha cheia de noite forma por si só um mundo. A própria luta para chegar ao cume basta para encher o coração de um homem. É preciso imaginar Sísifo feliz.

APÊNDICE

A esperança e o absurdo na obra de Franz Kafka

O estudo sobre Franz Kafka que publicamos em apêndice foi substituído na primeira edição de *O mito de Sísifo* pelo capítulo sobre *Dostoiévski e o suicídio*. Porém foi publicado pela revista *L'Arbalète* em 1943.

Nele se encontrará, em outra perspectiva, a crítica da criação absurda já iniciada nas páginas sobre Dostoiévski. *(Nota do editor francês.)*

Toda a arte de Kafka consiste em obrigar o leitor a reler. Seus desenlaces, ou sua falta de desenlace, sugerem explicações, mas estas não se revelam com clareza e exigem, para parecerem bem fundamentadas, que se releia a história com um novo enfoque. Às vezes há uma possibilidade de dupla interpretação, daí surge a necessidade de duas leituras. É o que o autor pretendia. Mas seria um erro querer interpretar detalhadamente tudo em Kafka. Um símbolo é sempre genérico e, por mais precisa que seja sua tradução, um artista só lhe pode restituir o movimento: não há tradução literal. De resto, nada é mais difícil de entender que uma obra simbólica. Um símbolo sempre ultrapassa aquele que o usa e o faz dizer na realidade mais do que tem consciência de expressar. Neste sentido, o meio mais seguro de captá-lo consiste em não provocá-lo, iniciar a obra sem ideias preconcebidas e não buscar suas correntes secretas.

No caso de Kafka, particularmente, é honesto aceitar seu jogo, abordar o drama pela aparência e o romance pela forma.

À primeira vista, e para um leitor isolado, trata-se de aventuras inquietantes que levam personagens trêmulos e obstinados a perseguir problemas que eles nunca formulam. Em *O processo*, Joseph K. é acusado. Mas não sabe de quê. Ele por certo quer se defender, mas ignora por quê. Os advogados acham sua causa difícil. Enquanto isso, não deixa de amar, de se alimentar ou de ler seu jornal. Depois é julgado. Mas a sala do tribunal é sombria. Ele não entende grande coisa. Só supõe que foi condenado, mas se pergunta a quê. Algumas vezes também duvida disso e continua vivendo. Muito tempo depois, dois senhores bem-vestidos e educados vêm buscá-lo e o convidam a segui-los. Com a maior cortesia o levam a um subúrbio desesperado, põem sua cabeça sobre uma pedra e o degolam. Antes de morrer, o condenado diz somente: "como um cachorro."

Claro que é difícil falar de símbolos num relato cuja qualidade mais sensível se encontra justamente na naturalidade. Mas a naturalidade é uma categoria difícil de entender. Há obras em que os acontecimentos parecem naturais ao leitor. Porém há outras (mais raras, é verdade) em que o personagem é que acha natural o que lhe acontece. Por um paradoxo singular, embora evidente, quanto mais extraordinárias forem as aventuras do personagem, mais perceptível será a naturalidade do relato: ela é proporcional à distância que se pode sentir entre a estranheza da vida de um homem e a simplicidade com que esse homem a aceita. Parece que esta é a naturalidade de Kafka. E, justamente, nota-se com clareza o que *O processo* quer dizer. Falou-se de uma imagem da condição humana. Sem dúvida. Mas é mais simples ao mesmo tempo e mais complicado. Quero dizer que o sentido do romance é mais particular e mais pessoal de Kafka. Em certa medida é ele quem fala, embora confesse que somos nós. Ele vive e é condenado. Sabe nas primeiras páginas do romance que continua neste mundo e, por mais que tente remediar isso, não terá nenhuma surpresa. Nunca se assombrará o suficiente dessa falta de assombro. Em tais contradições é que se reconhecem os primeiros sinais da obra absurda. O espírito projeta no concreto sua tragédia espiritual. E só pode fazê-lo por meio de um paradoxo perpétuo que dá às cores o poder de expressar o vazio e aos gestos cotidianos a força de traduzir as ambições eternas.

Da mesma forma, *O castelo* é talvez uma teologia em ação, mas é antes de tudo a aventura individual de uma alma em busca de sua graça, de um homem que pede aos objetos deste mundo seu segredo régio e às mulheres os signos do deus que dorme nelas. *A metamorfose*, por sua vez, representa certeiramente a terrível iconografia de uma ética da lucidez. Mas é também produto do assombro incalculável que o homem experimenta ao sentir o animal em que ele se transforma sem muito esforço. Nessa ambiguidade fundamental reside o segredo de Kafka. Essas vacilações perpétuas entre o natural e o extraordinário, o indivíduo e o universal, o trágico e o cotidiano, o absurdo e o lógico se apresentam ao longo de toda a sua obra e lhe dão ao mesmo tempo sua ressonância e sua significação. São paradoxos que é preciso enumerar, contradições que é preciso reforçar para compreender a obra absurda.

Um símbolo, de fato, supõe dois planos, dois mundos de ideias e de sensações, e um dicionário de correspondências entre um e outro. Este léxico é o mais difícil de estabelecer. Mas tomar consciência dos dois mundos presentes significa enveredar pelo caminho de suas relações secretas. Em Kafka esses dois mundos são o da vida cotidiana, por um lado, e a inquietude sobrenatural, por outro lado.* Parece que assistimos aqui a uma interminável exploração da frase de Nietzsche: "Os grandes problemas estão na rua."

Na condição humana, e isto é o lugar-comum de todas as literaturas, há uma absurdidade fundamental ao mesmo tempo que há uma implacável grandeza. Ambas coincidem, como é natural. Ambas se refletem, repitamos, no divórcio ridículo que separa as nossas intemperanças da alma e as alegrias perecedouras do corpo. O absurdo é que a alma desse corpo o ultrapasse tão desmedidamente. Para representar esse absurdo, será preciso dar-lhe vida num jogo de contrastes paralelos.

---

* Notemos que as obras de Kafka podem ser interpretadas de maneira igualmente legítima no sentido de uma crítica social (por exemplo em *O processo*). É provável, aliás, que não haja o que escolher. As duas interpretações são boas. Em termos absurdos, como já vimos, a revolta contra os homens se dirige também contra Deus: as grandes revoluções são sempre metafísicas.

Assim Kafka expressa a tragédia pelo cotidiano e o absurdo pelo lógico.

Um ator dá mais força a um personagem trágico quando evita exagerá-lo. Se for comedido, o horror que suscita será desmedido. A tragédia grega é rica em lições a esse respeito. Numa obra trágica, o destino sempre se apresenta melhor sob os rostos do lógico e do natural. O destino de Édipo é anunciado de antemão. Foi decidido no sobrenatural que ele cometerá assassinato e incesto. Todo o esforço do drama consiste em mostrar o sistema lógico que, de dedução em dedução, irá consumar a desgraça do herói. O mero anúncio desse destino inusitado não é uma coisa horrível, porque é inverossímil. Mas se nos demonstrarem sua necessidade no âmbito da vida cotidiana, sociedade, Estado, emoção familiar, então o horror se consagra. Nessa revolta que sacode o homem e o faz dizer: "Isto não é possível", já está a certeza desesperada de que "isto" é possível.

Eis todo o segredo da tragédia grega, ou ao menos um de seus aspectos. Porque há um outro que, empregando um método inverso, nos permitiria compreender Kafka melhor. O coração humano tem uma odiosa tendência a só chamar de destino aquilo que o esmaga. Mas a felicidade também, à sua maneira, carece de razão, porque é inevitável. Mas o homem moderno atribui o mérito a si mesmo, quando não o desconhece. Haveria muito a dizer, pelo contrário, sobre os destinos privilegiados da tragédia grega e os favoritos da lenda que, como Ulisses, se salvam de si mesmos no meio das piores aventuras.

O importante a destacar, em todo caso, é a cumplicidade secreta que une no trágico o lógico e o cotidiano. Por isso, Samsa, o herói de *A metamorfose,* é um caixeiro-viajante. E também por isso, a única coisa que o aborrece na singular aventura que o transforma em inseto é que seu chefe ficará contrariado com sua ausência. Crescem nele patas e antenas, sua coluna se arqueia, pontos brancos se espalham em sua barriga e — não direi que não se surpreende, pois o efeito falharia — tudo isso lhe causa um "leve aborrecimento". Toda a arte de Kafka está neste matiz. Em sua obra central, *O castelo,* o que se impõe são os detalhes da vida cotidiana, e no entanto esse estranho romance, no qual não há desenlace e tudo recomeça, representa a aventura essencial de uma alma em busca de sua graça.

Essa tradução do problema na ação, essa coincidência do geral com o particular se reconhecem também nos pequenos artifícios próprios de todo grande criador. Em *O processo*, o herói poderia se chamar Schmidt ou Franz Kafka. Mas se chama Joseph K. Não é Kafka, e no entanto é ele. É um europeu médio. É como todo mundo. Mas é também a entidade K., que postula o x dessa equação de carne.

Da mesma maneira, quando Kafka quer expressar o absurdo, lança mão da coerência. É conhecida a história do louco que estava pescando numa banheira; um médico que tinha suas ideias sobre os tratamentos psiquiátricos lhe perguntou "se estavam mordendo" e obteve uma resposta rigorosa: "Claro que não, imbecil, isso é uma banheira." Esta história é do gênero barroco. Mas nela se percebe de maneira sensível como o efeito absurdo está ligado a um excesso de lógica. O mundo de Kafka é na verdade um universo indizível onde o homem se dá ao luxo torturante de pescar numa banheira, mesmo sabendo que dali não sairá nada.

Reconheço então uma obra absurda em seus princípios. Em relação a *O processo*, por exemplo, posso dizer que o sucesso é total. A carne triunfa. Nada falta, nem a revolta não formulada (embora seja ela quem escreve), nem o desespero lúcido e mudo (embora seja ele quem cria), nem a assombrosa liberdade de conduta que os personagens de um romance respiram até a morte final.

Esse mundo, contudo, não é tão fechado como parece. Nesse universo sem progresso, Kafka vai introduzir a esperança de uma forma singular. Quanto a isto, *O processo* e *O castelo* não andam na mesma direção. Eles se completam. A insensível progressão de um para outro que se pode descobrir representa uma conquista desmedida no plano da evasão. *O processo* levanta um problema que *O castelo,* em certa medida, resolve. O primeiro descreve com um método quase científico e sem concluir. O segundo, em certa medida, explica. *O processo* diagnostica e *O castelo* imagina um tratamento. Mas o remédio aqui proposto não cura. Só reintegra a doença à vida normal. Ajuda a aceitá-la. Em certo sentido (pensemos em Kierkegaard), a torna agradável. O agrimensor K. não pode imaginar outra preocupação a não ser aquela que o rói. As mesmas pessoas que o cercam se apaixonam por esse vazio e por essa dor que não têm nome, como se aqui o sofrimento revestisse um rosto privilegiado. "Como preciso de você" — diz Frieda a K. — "Como me sinto abandonada, desde que o conheço, quando você não está perto de mim." Esse remédio sutil que nos faz amar o que nos esmaga e faz nascer a esperança num mundo sem saída, esse "salto" brusco que tudo transforma é o segredo da revolução existencial e do próprio *Castelo*.

Poucas obras são mais rigorosas em seu desenvolvimento que *O castelo*. K. é nomeado agrimensor do castelo e chega à aldeia. Mas a comunicação entre a aldeia e o castelo é impossível. Durante centenas de páginas, K. se empenhará em encontrar seu caminho, encaminhará todas as gestões, fará astúcias, tergiversará, não se zangará nunca e, com uma fé desconcertante, tentará exercer a função que lhe confiaram. Cada capítulo é um fracasso. E também um recomeço. Não se trata de lógica, mas de perseverança. Na amplitude dessa teimosia está o trágico da obra. Quando K. telefona para o castelo, ouve vozes confusas e misturadas, risos vagos, chamados remotos. Isso basta para alimentar sua esperança, como os sinais que surgem nos céus estivais ou essas promessas do anoitecer que constituem nossa razão de viver. Aqui encontramos o segredo da especial melancolia de Kafka. A mesma, na verdade, que se respira na obra de Proust ou na paisagem plotiniana: a nostalgia dos paraísos perdidos. "Torno-me muito melancólica" — diz Olga — "quando Barnabé me diz de manhã que vai ao Castelo: um trajeto provavelmente inútil, um dia provavelmente perdido, uma esperança provavelmente vã." "Provavelmente", este é o matiz sobre o qual Kafka faz girar toda a sua obra. Mas não importa, a busca do eterno é nela meticulosa. E os autômatos inspirados que são os personagens de Kafka nos dão a imagem do que seríamos se estivéssemos privados das nossas distrações* e totalmente entregues às humilhações do divino.

Em *O castelo*, tal submissão ao cotidiano torna-se uma ética. A grande esperança de K. é fazer com que o Castelo o adote. Como não pode conseguir isto sozinho, todo o seu esforço consiste em merecer essa graça tornando-se

---

* Em *O castelo*, parece que as "distrações", no sentido pascaliano, estão representadas pelos ajudantes que "afastam" K. de sua preocupação. Frieda termina tornando-se amante de um de seus ajudantes porque prefere a cenografia à verdade, a vida de todos os dias à angústia compartilhada.

um habitante da aldeia, perdendo assim sua qualidade de estrangeiro que todos lhe recordam. O que ele quer é um ofício, um lar, uma vida de homem normal e saudável. Não suporta mais sua loucura. Quer ser razoável. Quer se livrar da maldição particular que o torna estrangeiro na aldeia. O episódio de Frieda é significativo quanto a isso. Só se torna amante dessa mulher que conheceu um dos funcionários do Castelo por causa do seu passado. Extrai dela alguma coisa que o supera — ao mesmo tempo que tem consciência do que a torna indigna para sempre do Castelo. Pensamos aqui no amor singular de Kierkegaard por Régine Olsen. Em certos homens, o fogo de eternidade que os devora é grande o bastante para queimar o coração dos que os cercam. O erro funesto de dar a Deus o que não é de Deus também é tema desse episódio do *Castelo*. Mas para Kafka parece que não se trata de um erro, e sim de uma doutrina e um "salto". Não há nada que não seja de Deus.

Mais significativo ainda é o fato de que o agrimensor se separa de Frieda para aproximar-se das irmãs Barnabé, pois a família Barnabé é a única da aldeia completamente abandonada pelo Castelo e pela própria aldeia. Amalia, a irmã mais velha, rejeitou as propostas vergonhosas que um funcionário do Castelo lhe fizera. A maldição imoral que depois aconteceu afastou-a para sempre do amor de Deus. Ser incapaz de perder sua honra por Deus é tornar-se indigna da sua graça. Reconhecemos um tema familiar à filosofia existencial: a verdade contrária à moral. Aqui as coisas vão longe. Porque o caminho que o herói de Kafka percorre, que vai de Frieda às irmãs Barnabé, é o mesmo que vai do amor confiante à deificação do absurdo. Também nisso o pensamento de Kafka coincide com o de Kierkegaard. Não surpreende que o "relato Barnabé" figure no final do livro. A última tentativa do agrimensor é encontrar Deus por intermédio daquilo que o nega, reconhecê-lo, não de acordo com as nossas categorias de bondade e beleza, mas atrás dos rostos vazios e horríveis de sua indiferença, de sua injustiça, do seu ódio. Esse estrangeiro que pede para ser adotado pelo Castelo está um pouco mais exilado ao final da sua viagem porque agora é infiel a si mesmo e abandona a moral, a lógica e as verdades do espírito para tentar entrar, com a única riqueza de sua esperança insensata, no deserto da graça divina.*

---

* Isto só é válido, evidentemente, para a versão inacabada de *O castelo* que Kafka nos deixou. Mas é duvidoso que nos últimos capítulos o escritor tivesse rompido a unidade de tom de seu romance.

A palavra esperança não é ridícula neste caso. Ao contrário, quanto mais trágica é a condição evocada por Kafka, mais rígida e provocante torna-se essa esperança. Quanto mais verdadeiramente absurdo for *O processo*, mais o "salto" exaltado de *O castelo* parece comovedor e ilegítimo. Mas encontramos aqui, em estado puro, o paradoxo do pensamento existencial tal como expressa, por exemplo, Kierkegaard: "Devemos ferir de morte a esperança terrena, porque só assim nos salvamos pela esperança verdadeira",* que pode ser traduzida como: "É preciso ter escrito *O processo* para empreender *O castelo*."

A maioria dos que falaram de Kafka definiram sua obra, de fato, como um grito desesperado que deixa o homem sem recurso nenhum. Mas isto exige uma revisão. Há esperanças e esperanças. A obra otimista de Henry Bordeaux me parece singularmente desalentadora. Ali nada é permitido aos corações um pouco difíceis. O pensamento de Malraux, ao contrário, é sempre animador. Mas nos dois casos não se trata da mesma esperança nem do mesmo desespero. Vejo somente que

---

* *A pureza do coração.*

a própria obra absurda pode conduzir à infidelidade que quero evitar. A obra que era apenas uma repetição sem alcance de uma condição estéril, uma exaltação clarividente do perecível, torna-se aqui um berço de ilusões. Ela explica, dá uma forma à esperança. O criador não pode mais separar-se dela. Não é mais o jogo trágico que deveria ser. Dá um sentido à vida do autor.

É singular, em todo caso, que obras de inspiração afim, como as de Kafka, Kierkegaard ou Chestov, ou seja, as dos romancistas e filósofos existenciais, voltadas totalmente para o absurdo e suas consequências, desemboquem afinal num imenso grito de esperança.

Eles abraçam o Deus que os devora. A esperança se introduz por meio da humildade. Pois o absurdo dessa existência lhes assegura um pouco mais da realidade sobrenatural. Se o caminho dessa vida culmina em Deus, há então uma saída. E a perseverança, a teimosia com que Kierkegaard, Chestov e os heróis de Kafka repetem seus percursos são uma singular garantia do poder exaltante dessa certeza.*

---

* O único personagem sem esperança de *O castelo* é Amalia. A ela se contrapõe com grande violência o agrimensor.

Kafka nega a seu deus a grandeza moral, a evidência, a bondade, a coerência, mas é para melhor se jogar em seus braços. O absurdo é reconhecido, aceito, o homem se resigna a ele e, a partir desse momento, sabemos que já não é o absurdo. Nos limites da condição humana, que esperança maior do que aquela que permite escapar dessa condição? Vejo uma vez mais que o pensamento existencial, contra a opinião comum, está pleno de uma esperança desmedida, a mesma que, com o cristianismo primitivo e o anúncio da boa-nova, sublevou o mundo antigo. Mas nesse salto que caracteriza todo pensamento existencial, nessa teimosia, nessa agrimensura de uma divindade sem superfície, como não ver a marca de uma lucidez que renuncia a si mesma? Só se espera que seja um orgulho que abdique para salvar-se. Tal renúncia seria fecunda. Mas uma coisa não tem nada a ver com a outra. Na minha opinião, o valor moral da lucidez não diminui quando ela é chamada de estéril, como todo orgulho. Porque uma verdade, por definição, também é estéril. Todas as evidências o são. Num mundo em que tudo é dado e nada é explicado, a fecundidade de um valor ou de uma metafísica é uma noção vazia de sentido.

Com isso vemos em que tradição de pensamento se inscreve a obra de Kafka. De fato, seria pouco inteligente considerar rigorosa a trajetória que leva de *O processo* a *O castelo*. Joseph K. e o agrimensor K. são apenas os dois polos que atraem Kafka.* Falarei como ele e direi que provavelmente sua obra não é absurda. Mas que isto não nos impeça de ver sua grandeza e sua universalidade. Ambas decorrem do fato de ele ter sabido representar com tanta amplidão a passagem cotidiana da esperança à angústia e da sensatez desesperada à cegueira involuntária. Sua obra é universal (uma obra realmente absurda não é universal) na medida em que nela aparece o rosto comovente do homem fugindo da humanidade, extraindo de suas contradições razões para acreditar e de seus desesperos fecundos razões para esperar, e chamando de vida sua apavorante aprendizagem da morte. É universal porque sua inspiração é religiosa. Como em todas as religiões, o homem ali se

---

* Sobre os dois aspectos do pensamento de Kafka, comparem *Na colônia penal*: "A culpabilidade (entenda-se do homem) nunca é duvidosa" e um fragmento de *O castelo* (relato de Momo): "A culpabilidade do agrimensor K. é difícil de comprovar."

libertou do peso de sua própria vida. Mas assim como sei disso, e posso até admirá-lo, sei também que não busco o que é universal, mas o que é verdadeiro. As duas coisas podem não coincidir.

Este ponto de vista ficará mais claro se eu disser que o pensamento verdadeiramente desesperado se define justamente por critérios opostos e que a obra trágica poderia ser aquela que, uma vez descartada toda esperança futura, descrevesse a vida de um homem feliz. Quanto mais exaltante for a vida, mais absurda será a ideia de perdê-la. Talvez este seja o segredo da aridez soberba que se respira na obra de Nietzsche. Nesta ordem de ideias, Nietzsche parece ter sido o único artista que chegou às consequências extremas de uma estética do Absurdo, pois sua última mensagem reside numa lucidez estéril e conquistadora e numa obstinada negação de todo consolo sobrenatural.

Tudo isso deve ter sido suficiente, contudo, para revelar a importância capital da obra de Kafka no âmbito deste ensaio. Somos transportados aqui aos confins do pensamento humano. Dando à palavra seu sentido pleno, podemos dizer que nessa obra tudo é essencial. Ela apresenta o problema absurdo em sua totalidade. Se quisermos comparar estas conclusões com as nossas observações iniciais, o fundo com a forma, o sentido secreto de *O castelo* com a arte natural que o modela, a busca apaixonada e orgulhosa de K. com a cenografia cotidiana pela qual caminha, compreenderemos em que consiste sua grandeza. Porque se a nostalgia é a marca do humano, talvez ninguém tenha dado tanta carne e tanto relevo a seus fantasmas da nostalgia. Mas pode-se ver ao mesmo tempo qual é a grandeza singular que a obra absurda exige e que talvez não se encontre aqui. Se o próprio da arte é enlaçar o geral com o particular, a eternidade perecedoura de uma gota d'água com seus jogos de luz, é ainda mais natural medir a grandeza do escritor absurdo pela separação que sabe introduzir entre esses dois mundos. Seu segredo é encontrar o ponto exato em que eles se juntam, em sua maior desproporção.

E, para dizer a verdade, os corações puros sabem ver em toda parte esse lugar geométrico do homem e do inumano. Fausto e Dom Quixote são criações eminentes da arte devido às grandezas sem medida que nos mostram com suas mãos terrenais. Mas sempre chega um momento em que o espírito nega as verdades que essas mãos podem tocar. Chega um momento em que a criação não é mais encarada de modo trágico: é apenas levada a sério. O homem se ocupa então da esperança. Mas este não é o seu problema. Seu problema é evitar o subterfúgio. E é ele que encontro ao final do veemente processo a que Kafka quer submeter o universo inteiro. Seu incrível veredicto absolve, por fim, este mundo terrível e transtornado onde as próprias toupeiras fazem questão de esperar.*

---

* A proposta das linhas acima é, evidentemente, uma interpretação da obra de Kafka. Mas é justo acrescentar que nada impede de vê-la, fora de qualquer interpretação, com um enfoque puramente estético. Por exemplo, B. Groethuysen, em seu notável prólogo a *O processo*, limita-se, com mais sensatez que nós, a seguir apenas a pista das imaginações dolorosas do que ele chama, de maneira contundente, um adormecido acordado. O destino, e possivelmente a grandeza, desta obra é oferecer tudo e não confirmar nada.

Este livro foi composto na tipografia
Adobe Caslon Pro, em corpo 11/15,5,
e impresso em papel Pólen Bold 90g/m² na Gráfica Leograf.